모든 것에 대한 모든 고민

발 행 2015년 10월 05일
저 자 임현주
　　　　Email hold-me@nate.com
　　　　Facebook https://www.facebook.com/hyeonju.lim.33
　　　　Instagram hj.lim.33
펴낸곳 주식회사 부크크
주 소 경기도 부천시 원미구 춘의동202 춘의테크노파크2차 202동 1306호
전 화 (070) 4085-7599
Email info@bookk.co.kr
ISBN 979-11-5811-367-4

www.bookk.co.kr

모든 것에 대한 모든 고민

임 현 주

목차

나를 고민하느라 지새운
수많은 나의 하루

어릴 때부터 글을 쓰는 것을 좋아했다. 소소하고 별것도 아닌 것에 관해서 이야기하는 시간이 즐거웠다. 빼먹지 않고 일기를 썼고, 시시한 하루에 대한 짧은 수필을 쓰기도 했으며 이따금 머리를 쥐어짜내 소설 비스름한 것을 쓰기도 했다. 항상 내 이름 석 자가 쓰인 책을 갖고 싶었고 언젠가 작가가 되고 말겠다고 생각했다. 작문을 배운 것은 고작 초등학교 때 독서 교실을 잠깐 다닌 것이 전부인 주제에 꿈이 컸다. 다행히도 키보드와 마우스만 가지고도 책을 만들 수 있는 운이 좋은 시대라 이렇게 내 책을 갖게 됨이 얼마나 가슴 벅찬 일인지.

이 책은 스무 살이 된 2008년부터 최근까지 약 7년에 걸쳐 써온 이야기를 체로 거르고, 조금 다듬어 최소한의 양념을 한 뒤 버무려 낸 것이다. 내 마음이 내키는 때에 써서 남긴 이야기 들이다. 모든 글은 쓰고 싶을 때 쓰고, 쓸 말이 있을 때 적기로 했기 때문에 어떤 날에는 여러 번 쓰기도 했고, 반대로 또 어떤 때에는 몇 달이고 한 문장조차도 적지 못하기도 했다. 그러다 글을 쓰고 싶다고 생각하는 그 찰나의 시간조차 사치처럼 생각될 만큼 삶에 치여 살다 보니 생각보다 긴 시간이 훌쩍 지나 버렸다.

어떤 날에 대해서 적어 내려간다는 것은 의미 있는 일이다. 내게 있어 글을 쓴다는 것의 정의는 지나간 날들을 마음속에 새기는 행동이다. 시간이 지나고 그때 썼던 글을 읽으면, 그 날 하루가 머릿속에 선명하게 그려진다. 그때의 느낌, 감정, 생각들이 고스란히 인식의 수면 위로 떠오른다. 평소의 삶에 대한 소소한 생각과 자아에 대한 고민, 관계에서 오는 흔한 갈등, 사랑과 연애에 관한 나름의 생각들. 지난 몇 년간 내가 보낸 시간이 고스란히 녹아있다. 문장 하나하나가 전부, 나다.

머릿속을 그대로 꺼내 놓은 이 많은 이야기가 누구에게는 불편할 수도, 혹은 많이 부족해 보일지도 모른다는 생각에 걱정이 되기도 한다. 기념 삼아 내가 아끼는 이들과 나누고 싶은 마음에 만들었으니 부디 재미있게 읽어 주었으면. 내가 나를 고쳐 쓰는 많은 날들에, 당신이 가까이 있어 큰 위로가 된다.

1

나의 사람들

한 사람을 알아보려면 그 사람의 주위에
어떤 사람이 있는지 살펴보고,
그리고 그가 어떤 사람과 자주 만나서
함께 시간을 보내는지 보면 된다.

〈☞ Everywhere I go - Lissie〉

아홉 살. 처음으로 집에 컴퓨터가 생겼다. '586'. 나는 그때 처음으로 타이핑 하는 방법을 배웠다. 몇 시간이고 자판을 열심히 두드리면, 아빠는 내게 용돈을 주시곤 했다. 당시만 해도 컴퓨터를 가진 집은 그리 흔하지 않았다. 특히 내가 다니던 초등학교는 학생 수가 많지 않은 편이라 더 그랬던 것 같다. 그리고 내가 그 '귀한' 컴퓨터로 할 줄 아는 것이라고는 고작 타이핑을 연습하는 것과 고인돌 게임, 이 두 가지였다.

한글과 컴퓨터에서 만든 타자연습 프로그램 안에는 제한 시간을 걸고 일정한 문장이나 글을 타이핑 해볼 수 있게 해놓은 메뉴가 있었다. 〈타자 검정〉이라는. 처음에는 300타, 그다음에는 400타, 500타. 초등학교를 졸업할 무렵에는 600타를 넘게 쳐서 그걸로 타자 경진대회에서 상을 받기도 했다.

그때는 그랬다. 예전에는 전화선으로 인터넷을 연결해서 썼기 때문에 둘을 동시에 쓸 수 없었다. 기술이 좀 더 발전하고 나서 천리안과 나우누리를 넘어 네이버와 다음의 시대가 도래 했을 때, 그제야 인터넷을 하는 재미를 알게 되었다. 열세 살 무렵이었다. 중학교에 가니 다들 〈버디버디〉라는 온라인 메신저를 쓰고 있었다. 아무리 열심히 연습해도 더 빨라지지 않던 타이핑 속도가, 메신저를 쓴 지 일 년도 채 안되어 손가락이 보이지 않을 정도로 빨라졌다. 과장을 조금 보태서.

당시에는 메신저에 등록된 친구가 몇 명이나 있는지가 곧 인기의 척도였다. 다모임의 방문자 수나, 친구 목록에 몇 명이나 있는지, 싸이월드 '일촌'의 수를 세는 것이 그 뒤를 이었다. 그리고 지금은 페이스북 친구와 인스타그램의 '인친'이 얼마나 있는지, 그들이 게시글에 '좋아요'를 얼마나 눌러주는 지가 '인기 있는 사람'의 기준으로 변해가고 있다. 다 똑같다. 그 이름만 달라졌을 뿐.

살과 입김을 맞대고 사는 '현실 세계'의 인연이라는 이름이 얼마나 부질없는지를 깨닫게 되면, 가상세계의 그것이 말 그대로 '가상'일 뿐이라는 것을 알게 된다. 그리고 그것에 무뎌지면 키보드와 키패드를 두드리고 있는 것은 진짜 사람이라는 사실마저도 잊어버리게 된다. 누군가와 벽을 허물고 친해지는 것은 오랜 시간과 정성을 필요로 하는 일인데도 그와 등을 지고 적이 되는 것은 정말로 한순간이다. 찰나의 순간에 일어나서 어찌할 도리가 없다.

어떤 사람이 사람에게 다할 수 있는 정성에도 크기가 있다. 물론 그것이 사람마다 각각 다르더라도. 그러니 그 정해진 크기 안에서,

나보다 타인에게 정성을 쏟기 시작하면 그때부터 나는 내 인생을 제대로 살 수 없게 되고 말 것이다. 단언컨대 이것은 백 퍼센트의 확률로 정확하다. 핸드폰에 저장되어있는 전화번호가 몇 개 인지보다 중요한 것은 최근 통화 목록에 누구의 이름이 많은가 하는 것이다. 수천 개의 연락처를 갖고 있으면서도 누군가에게 먼저 안부를 묻는 전화를 하는데 '용기'가 필요하다면 그게 무슨 의미가 있나. 요즘 같은 시대에는 너도나도 바쁘다. 척이라도 해야 밑 보이지 않는다는 생각에 모두가 바쁘다. 일촌 신청을 먼저 하는 데는 무감각 하면서 통화버튼을 누르는 것은 훨씬 많은 망설임을 필요로 한다.

한 때는 워드프로세서에서 타이핑한 편지를 출력해서 곱게 코팅한 뒤에 친구에게 선물하는 것이 유행이었다. 그것도 손으로 직접 쓰는 편지보다는 느낌이 덜 하지만, 키보드를 두드리는 손이 그나마 인간적으로 느껴지던 때를 꼽으라면 그때가 아닐까 싶다.

1-1
세상에서 제일 무거운 이름

사춘기 때는 부모님이 날 이리저리 휘두르려고 한다는 생각을 많이 했었다. 늘 이래라저래라 간섭만 하는 것 같았기 때문이다. 그게 관심이든 아니든 귀찮기만 했다. 내 인생, 나의 삶. 부모님이 아니라 그 누구라도 참견하고 끼어드는 것을 참을 수 없었다. 아니, 용납할 수 없었다.

그렇게 한 살 두 살 먹어가고, 질풍노도의 시기가 지나가고 딱 내 나이만큼 철이 든 지금 돌이켜보면, 어른들의 말씀대로 '어른의 말'은 틀리지 않는 것 같다. 대개는. 그런데도 나는 여전히 멀리 돌아간다. 아직도 내가 철이 덜 들어서인지, 아니면 미련하기 때문인지는 모르지만. '가보지 않은 길'을 쉽고 편하게 가려는 생각보다는 여기저기 깨지고 다치더라도 직접 보고 겪고 싶은 이상한 욕심을 버리지 못해서. 어른들의 말이 옳다는 것을 알면서도 멀리 돌아간다. 좀 더 걸리더라도 그럭저럭 나름의 길을 잘 찾아가고 있고.

울며 겨자 먹기로 부모님의 생각과 결정을 받아들이고 따랐을 때도 있지만, 조금 반대에 부딪혀도 억지를 쓰고 질질 끌고 갔던 일들도 있다. 그중에는 내가 잘해냈던 일도 있고, 중간에 포기하거나 결과가 좋지 않았던 적도 있다. 문제는, 부모님이 권유하셨거나 강요한 일은 잘되면 내 덕, 잘못되면 부모님 탓으로 몰아세웠던 것. 한번이라도 내 부모님으로 살아온 '부모님의 인생'에 대해 감사한 적이 있었나.

친구들 생일은 기억하고 챙겨주려고 노력하면서, 오랜만에 만나기라도 하면 밥값, 커피값 내려고 애를 썼으면서. 그렇게 하지 않으면 안되는 것처럼 굴었던 것. 누군가를 소중하게 느끼는 마음에 정도를 따지는 게 바람직한 행동은 아닐지라도, 진정 내 가슴의 우선순위는 누굴 가리키고 있는지 생각해 봄 직하다. 늘 받기만 하는 것을 당연하게 여기는, 그것이 나를 위한 희생이라고 생각하지 못하는. 그럼에도 불구하고 나는 어쩌다 부모님께 옷 한 벌 사드리면, 저녁에 설거지 한 번 할 때면 그것이 엄청난 효도라도 한 듯 생색을 내지 않았는가.

나는 알고 있다. 내가 죄를 짓고 세상이 내게 돌을 던져도, 내 손을 꼭 잡아주고 끝내 놓지 않으실 분들이라는 것을. 마지막에도 나를 믿어 주실 분들이라는 것. 그래서 이 때 까지 그 누구를 대하는 것보다도 소홀했던 것 같다.

어차피 늘 하는 잔소리 귀담아듣지 않아도 될 것 같았고, 집안일은 전부 엄마가 해야 할 일이라 생각해서 내가 하지 않아도 될 것 같았다. 난 한창 젊으니 옷을 사 입고 꾸미는 데 돈을 많이 써도 당연하고, 엄마는 아줌마라서 더 멋지게 꾸미는 법을 모른다고 생각했다. 나를 낳았으니 이 정도 고생하는 것쯤 당연하다고 생각했다. 열심히 공부했으니 나는 용돈 받을 자격이 있었고, 맘껏 놀 자격이 있었다. 내가 반장이라서, 공부를 잘해서, 상을 받아서 그래서 부모님이 새 옷, 새 가방을 사주고 나를 칭찬해 준다고 생각했다. 그러니 성적이 떨어지면, 선생님들한테 미움을 받으면 내 존재 가치는 없다고 믿었고, 그래서 내가 가던 길에서 벗어나려고 발버둥을 쳤다.

그런데 아빠는 그런 내 속을 금세 알아차리셨던 거였다. 네가 이 집에서 밥을 먹고, 교복을 입고 학교에 가고, 어디를 나가더라도 다시 집으로 돌아올 수 있는 것은, 네가 잘 나서가 아니라고, 네가 생각하는 그런 이유가 아니라, 네가 내 딸로 태어난 것 그것뿐이라고. 학교에서 어떤 학생이기 전에 그전에 내 딸 이지 않느냐고. 나는 그 날 방문을 잠그고 한참을 울었던 기억이 난다.

고등학교 때 수험생활을 하면서 학교생활에 치이고, 공부하느라 속이 울렁거려도, 예전에 생각해왔던 것들과 전혀 다른 세상 속에 내가 있었어도, 나는 생각했다. 내가 지켜야 할 사람은 세상에 나 하나는 아니라고. 내가 나로 태어났기 때문에 나만의 인생을, 그리고 나만의 꿈을 가질 자격은 충분하지만, 나는 온전히 나 하나로만 이루어진 것이 아니었다. 세상의 모든 자식은 서로 사랑하는 두 사람에 의해 숨 쉴 수 있게 된 것이다. 그렇기에 나는 그들 존재를 평생 내 안에 가지고 살아가야 한다. 언제나 그랬듯이 항상 곁에서 나를 믿어주시는 분들이고 그분들이 있었기 때문에 지금 나의 인생이 있는데. 내가 바라고 원하고 추구하는 나의 인생이 나를 아낌없이 사랑하는 부모님이 바라는 나의 인생과 완전히 같지는 않더라도, 거부하고 밀어내기보다는 열린 마음으로 일단 시작부터 해보는 것도 괜찮다. 부모님이 제시하는 미래의 방향을, 그 북극성을 따라가 보는 것도 사실 나름대로 의미가 있다.

죽을 때까지 하고 싶은 일만 하면서 살 수 있을 줄 알았는데, 나이가 들수록 하고 싶지 않아도 해야 하는 일이 더 많이 있다는 것을 깨닫는다. 부모라는 이름으로 그들에게 당연히 기대고 바랐던 많은 것들을 그들이 당연하게 해내느라 한숨보다 깊게 파인 인생의 주름이 이제야 조금씩 보이기 시작한다. 당연하지 않은 그 무거운 책임을 당연한 듯 짊어지고 살아온 그들의 사랑이 보인다.
세상의 모든 부모님은 밥은 먹었냐, 학교생활은 할 만 하냐, 차 조심해라, 집에 일찍 들어와- 같은 말들로 날마다 사랑한다는 말들을 대신하고 계신다.

1-2
성명 : 누구 엄마

용돈을 많이 안 준다며 아침부터 잔뜩 짜증을 부렸던 성년의 날, 집에 들어가던 도중 교통사고가 났다. 전화를 한 지 십 분도 채 되지 않아 엄마가 응급실로 뛰어왔다. 별로 다치지 않아서 다행이라는 안도의 한숨과 왠지 모를 화가 섞인 표정이었다. 검사를 끝내고 올라간 병실에는 나 말고도 할머니 네 분이 더 누워 있었다. 발이 아파 뒤척이느라 뜬눈으로 밤을 새우는 데 새벽에 할머니 한 분이 새벽에 발작을 일으켰다. 누군가 경기를 일으키고 거품을 무는 모습을 가까이에서 보기는 처음이라 무서웠다.

그 할머니는 큰딸부터 조카며느리까지 돌아가면서 간호를 해오던 자식 복이 많은 할머니였다. 가족들의 정성 어린 간호에도 불구하고 할머니의 병세는 갈수록 심해지기만 해서, 대소변도 제대로 가리지 못하고 밤낮 가릴 것 없이 자꾸만 헛소리를 해대셨다. 다친 다리가 너무 아파 늘 얼굴을 찡그리고 있던 나는 생각했다. 불쌍한 저 할머니와 더 불쌍하고 안쓰러운 저 가족. 밥은커녕 잠도 제대로 자지 못하고 돌아가며 차례로 보초를 서는 모습이 짠하면서 안타까웠다.

물리치료를 받으러 아래층에 내려갔다가 올라오니 엄마는 내 침대에 누워 주무시고 계셨다. 불편한 자세로 잠들어 있는 엄마를 깨우려다 집안일을 잔뜩 하고 오느라 피곤하셨나 싶어 관두었다. 문득 엄마가 언제 이렇게 많이 늙어 버렸지 하는 생각이 들었다. 아무런 이유도 없이, 이상하게도 내 머릿속에서의 엄마의 모습은 딱 서른아홉 그때 멈춰버렸다. 어쩌면 나는 주름이 많은 사십 살의 엄마가 싫었는지도 모르겠고. 엄마는 병원에 있는 동안 나를 먹이고 씻겨 주셨다. 덕분에 스물한 살이나 먹은 나는 한 살짜리 애기 마냥 한없이 어리광만 늘었다.

내가 십 년 만큼 더 어려질 수 있으면 우리 엄마도 딱 그만큼 더 젊어질 수 있으련만. 지금의 엄마를 나이 들게 한 것은 어쩌면 시간만이 아니라 내 탓도 있겠지. 배은망덕하게도 자식이 왜 자식이냐, 부모 마음을 다 알면 그게 무슨 자식이냐 외치던 때가 있던 나였지만, 그 이기적인 생각의 끝에서는 내가 커갈수록 늙고 작아지는 엄마가 있었다.

며칠 전에는, 저 복도 건너 중환자실에 있는 할머니가 돌아가셨다는 말을 들었다. 갑자기 나도 분명 언젠가는 그렇게 엄마를 떠나보낼 날이 올 거라는 생각이 들었다. 그래서 나는 무서워졌다. 모든 것에 날을 세우고 있던 청소년기에, 나는 모든 것을 다 싫어했다. 엄마라고 다르지 않았다. 엄마를 아주 많이 싫어하던 그때, 절대 엄마처럼 살지 않겠다고 손톱을 깨물며 생각했던 적이 있었다. 그때는 엄마가 나를 정말로 미워한다고 믿었기 때문에.

하지만 지금의 나는 그렇지 않다는 것을 이쯤에서 분명히 하겠다. 착하지 않은 내가 더 나빠질 것도 없는 아이로 자랄 수 있었던 것은 모두 엄마의 덕분이다. 땅은 토양의 양분이 눈으로 볼 수 있는 것은 결코 아니지만, 그것은 분명 나무를 무럭무럭 자라게 하고 있다. 지금 이 순간에도.

어렸을 때부터 글 쓰는 것이 좋았다. 나의 장래 희망 칸은 변호사, 의사, 통역사, 선생님 같은 굵직한 직업들이 썼다가 지워졌지만, 내가 무엇을 하면서 밥을 벌어먹고 살건 간에, 평생 글을 쓰면서 살리라고 생각했다. 그래서 내가 더 나이를 먹고 지금보다 더 좋은 글을 쓸 수 있게 되면 온전히 엄마만을 위한 엄마의 이야기로 가득 채운 그런 글을 쓰겠다고 마음먹은 적이 있었다. 어쩌면 지금의 내가 그때 생각했던 그 글을 쓰고 있는지도 모른다.

그럼에도 불구하고 이 글의 절반은 나의 이야기다. 왜냐하면 엄마가 나의 엄마이기 전에 어떤 삶을 살았는지 알지 못하기 때문에. 다르게 말하면 스물 한 해 동안, 엄마의 이름은 '김영숙' 석 자가 아닌 '엄마'로 살아왔으니.

엄마를 알고 있는 사람들은 나를 엄마를 쏙 빼닮은 딸이라고 말한다. 엄마를 닮은 나는, 나로 태어난 나를 정말 사랑하고 아끼는 만큼 나를 이만큼 성장하게 도와준 우리 엄마가 참 좋다. 나의 엄마로 살아온 당신의 인생에 참으로 눈물 나게 감사하다.

1-3
누구나 마음속에 언니가 있다
〈☞Just a little lovin (GB remix) - Carmen Mcrae〉

넌, 신경질적인 사람이야. 넌 예민해. 까다로워. 어려워. 감당하기 어려울 만큼 지나치게 감정적이야. 나는 일부를 인정했을 뿐인데, 우습게도 어느 틈에 그것이 내 전부가 되어버렸다. 나도 모르는 사이에.
때때로 나조차도 나에게 질려 버리는 날에는 언니가 필요하다. 그런 날에 나는 내 내면의 차갑고 냉정한 언니를 필요로 한다. 정신 좀 차리라고, 야 이 년아. 아무렇지 않게 구박해 줄. 웃음이야 나겠지만, 결코 거역할 수 없는.

마음 속 '언니'의 말은 구구절절 옳아서, 기어코 내가 정신을 차리도록 만드는 것이다. 그녀는 내가 해야 할 것과 하지 말아야 할 것에 대해 모두 알고 있고, 내가 하려고 생각했던 것 중에 쓸모없는 것들을 지적한다. 그리고 내가 결국 그 말을 듣지 않다가 우려하던 상황이 그대로 벌어져 쓰린 속을 움켜쥐고 있을 때는 정작 속 그런 날의 소주 한 잔보다 더 달달한 위로를 해주는 것이다. 토닥토닥. 그것 봐, 이년아. 내가 뭐랬어. 너 땜에 못산다. 바보야. 한바탕 감정을 다 토해낼 때까지, 뒤에서 조용히 등을 두들겨 주는 것이다. 이해는 되는데 나 같으면 그렇게 안 해라는 남들의 말은 사실은 지금 꼴이 추하다는 말이다. 이쯤 했으면 충분하니 그만하라는 말을 좋게 돌려서 말하고 있는 거다. 그렇지만- 언니는 괜찮다고 말해준다. 그러게 내 말 들으랬지. 그런 미움 섞인 원망이야 얼마든지 듣겠지만. 그래, 이걸로 더 괜찮아져라. 또 위로한다.

1-4
도깨비 이야기

아주 오래도록 연락이 닿지 않았다가 갑작스럽게 '잘 지내니' 하며 나타나는 사람들이 있다. 설도 크리스마스도, 그 어떤 빨간 날도 아닌, 심지어 일요일도 아닌 그런 날에. 생각조차 않고 있던 어떤 이가 말을 걸어오는 것은 제아무리 과거에 가까운 사이였다고 하더라도 대개 썩 편하지는 않다.

이런 사람들은, 예전에 연락이 끊긴 친한 친구였거나, 오며 가며 눈으로 인사를 건네던 데면데면한 사이에 불과한 정도의 얄팍한 사이다. 혹은 오래전에 만난 적이 있었던 이성 친구이거나, 얼굴만 드문드문 기억나는 학창시절의 누구이거나.

그저 바람같이 스친 생각에 문득 상대의 안부가 궁금했을지도 모르고, 누구는 지난 추억을 되짚다 사색에 잠겨 손이 기억하는 대로 통화 버튼을 눌렀을지 모르고. 더러는 갑자기 생긴 어떤 일에 도움이나 조언을 구할 생각으로 약간은 미안한 말투로 인사를 건넨 것인지도 모른다.

이와는 조금 다르게 오래 멀리 있었지만 마음은 가까이에 두고 있어 언제 어떻게 말을 꺼내더라도 어색하지 않은 사이도 있다. 꼭 어제도 만났던 것 같이. 사실 갑작스러운 연락이란 받는 것도 하는 것도 모두 싫게 느껴지는 일이라고만 생각했었다. 그런데 막상 살다 보니 나란 사람의 어깨가 참 좁아서일까 - 아무리 맘이 좋은 사람이래도 모두와 어깨를 맞닿고 나란히 앞으로 나가는 것이 너무 어렵더라.

산 중턱 고목나무에서 도깨비를 만나듯 펑 나타났다가 또 휭하고 사라져도, 그래도 밉지만은 않을 것이다. 어떻게든, 그 무엇으로든, 이렇게 힘들고 바쁜 세상에서 다른 존재로부터 기억되고 있다는 것은 기쁜 일이다.

1-5
트롯트를 부르는 아빠
〈☞내 나이가 어때서 - 오승근〉

아빠는 운전하실 때마다 직접 부른 노래를 볼륨을 높여 빵빵한 사운드로 틀어 주신다. 심지어 반주도 녹음도 직접 하신, 이를테면 아빠의 트로트 메들리인 셈이다. 나는 요새 데뷔하는 가수나 신곡에는 문외한일뿐더러 아이돌은 누가 누군지도 모른다. 그러니 가요보다는 팝송을 좋아하고 즐겨 듣는 내가 들리는 트롯트마다 줄줄이 따라 부를 수 있는 이유는 순전히 부모님 때문이다.

나는 아빠로부터 잔소리를 들어본 기억이 없다. 학창시절 그 흔한 공부하라는 말도 들어본 기억이 없다. 다만 공부를 잘하면 얻을 수 있는 이점에 대해서는 자주 이야기 하셨다. 초등학교 때 천자문을 익히고 타자 연습을 했던 것도, 영어 사전을 탈탈 외웠던 것도 '용돈'이라는 당근이 걸려 있었기 때문이었지 어떤 강요는 아니었다. 결국, 주로 잔소리를 하는 것은 엄마 쪽이라, 이런 저런 얘기들을 털어놓게 되는 것은 아빠 쪽일 수밖에 없었던 것 같기도 하다. 사귀던 남자친구에 대해 얘기 하고, 학교 전공이나 친구들 얘기도 하고, 세상 돌아가는 이야기나 요즘 유행하는 것들에 대해 소소한 이야기를 하기도 한다. 아빠는 컴퓨터를 나보다 더 잘 다루고 맛있는 백반 식당도 더 많이 안다.

나이를 한 살씩 더 먹어감에 있어 유일하게 좋은 점은 부모님과 함께 이야기할 수 있는 것들이 더 많이 생긴다는 것이다. 아빠가 부르는 트롯트는 가사가 슬퍼도 마냥 흥이 난다. 뒷좌석에 앉아 그 트롯트를 따라 부르고 있노라면, 나도 인생을 이해하고 삶을 살아가는 한 어른이 되어가는 것 같아서, 어깨가 으쓱해진다.

1-6
(+1, -12)

할아버지와 할머니는 정미소와 방앗간을 같이 하셨다. 그래서 시골에 내려가면 온 동네 사람들이 죄다 여기에 와있는 듯한 인상을 받곤 했다. 주소에 그저 '고달 정미소'라고만 적어져 있어도 우체부 아저씨는 할아버지 댁을 찾아왔다. 그러니 할아버지 댁이 동네 사랑방이나 마찬가지인 것은 어쩌면 당연한 거였다.

쉴 새 없이 돌아가는 기계들과 쭉쭉 뽑혀 나오는 가래떡 마냥 끊길 줄 모르는 할머니들의 수다. 이때껏 살면서 많은 떡을 많이도 먹어 보았지만, 할머니의 방앗간에서 먹던 떡만큼 맛있는 것은 아직 없다. 잘 쪄진 떡을 시루에서 꺼낼 때 옆에서 눈을 빛내고 있으면, 엄마가 접시를 들고 와 한 조각씩 잘게 잘라 주시곤 했다. 곡물을 찧거나 떡을 만들러 온 할머니도, 놀러 온 할머니도 모두가 평상에 앉아 떡 한 조각, 막걸리 한 잔 먹는 모습은 통째로 기억에 박혀있다. 그 풍경을 구경하느라 구석에 앉아있으면, 할머니들은 '방앗간 집 손녀딸'에게 관심 아닌 관심으로 별의별 잔소리를 하시곤 했다.

그 잔소리 중에 귀가 따갑도록 들은 말이 '왜 동생을 안 데려 오느냐'라는 말이었는데, 동생이 어떻게 생기는지는 쥐뿔도 모를 나이였음에도 말 그대로 아무 데서나 동생 삼을 애를 데리고 오란 소리는 아니라는 것 정도는 알았다. 아빠는 장남인데 자식은 언니와 나, 딸만 둘이니 '자고로 아들이 있어야 한다'는 말을 그 세대의 화법으로 돌려 말한 것이다. 옆집, 앞집, 건넛집 할머니들은 내가 샘이 많아 동생을 안 데려온다며 내 팔을 꼬집으시곤 했다. 그리고 나는 그때부터 시골에 내려가는 것이 싫었다.

몇 년이 더 지났고 나한테는 띠동갑 동생이 생겼다. 연년생 언니와 날마다 다투느라 심심할 일이 없어 그랬는지 단 한 번도 동생이 있으면 좋겠다고 생각해 본 적이 없었지만 그렇다고 이미 생긴 동생이 싫지도 않았다. 난생처음으로 갓난아기를 그렇게 가까이 만났고 그저 신기했다. 여동생이었다. 집안 어른들은 남자애가 아닌 걸 티 나게 아쉬워했다. 어처구니없게도 시골 동네 할머니들은 그때도 내 탓을 했다. 내가 질투가 많아 여자애를 데려왔다고. 몇 살 더 먹었다고 커진 머리로 골을 냈던 것 같다. "내가 안 데려왔다"고.

하도 들은 말이라 지겨운 것인지, 듣는 맘씨가 뒤틀려 그런지는 몰라도, '딸 만 셋'이냐고 반문하는 것도 싫고, 늦둥이 막내를 두고 '아들 낳으려다 잘못 낳았나보네' 하는 오지랖도 싫다. 그 입을 꿰매주고 싶어진다. 그래놓고 미안한지 요새는 아들보다 딸이 좋다며 덧붙이는 것도 꼴불견이다. 그럴 때는 싸가지 없다는 소리를 들을지언정 아들이건 딸이건 부모 자식 나름이라고 툭, 뱉어 버린다.

타인이 생각 없이 뱉어낸 말들 때문에 한 번 더 생각하게 되는 것이 얼마나 억울한지 모른다. 그러니 세 자매의 둘째로 산다는 것은 그 자체로 신경증을 만들어 낸다. 첫째는 첫째대로, 막내는 막내대로 피곤하겠지만. 감히 말하건대, 둘째는 두 배로 외롭고 두 배로 피곤하다.

1-7
스무 살에게

돌아보니 작년 이맘 때 쯤 나는 여러 가지 회의감과 상실감, 허무주의에 빠져 지금 잘하고 있는 걸까 하는 생각에 자신감을 많이 잃었고, 가지 않은 길에 대한 이유 모를 섭섭함이 많았었던 것 같다. 스무 살, 성인이자 이십 대의 시작. 계획하고 맘먹은 것들, 그 기대감이 그 어느 때보다 많았기 때문에 그만큼 자신에게 실망했으리라.

대학에서 보낸 첫해의 한 학기가 막 끝나려고 하는 지금. 수많은 스무 살은 어떤 일 년을 보냈을지 궁금하다. 놀았던 녀석은 놀아서, 공부만 했던 녀석은 공부만 해서, 그리고 둘 다 하다 만 녀석은 이도 저도 아니라는 이유로 '야심 차게' 시작하고 '남은 것 없이' 끝난 것만 같은 반년의 시간이 허무하다 느끼고 있지는 않을까.

누구나 가지 않은 길을 아쉬워하는 법이고, 손에 쥔 사탕은 먹어버리면 더는 손에 남아있을 수 없으니. 마음의 먼지는 털어버리고, 지난 시간이 앞으로는 헛되지 않게 하는 것에 힘썼으면 좋겠다. 너도, 그리고 나도.

1-8
정 든 당신
⟨☞Moon river - Audrey Hepburn⟩

아직 아무런 말도 하지 않았는데도 상대가 무슨 말을 할지 짐작이 갈 때가 있다. 아직 아무런 행동도 하지 않았는데도 상대가 그다음 무슨 행동을 할지 예상이 가는 때가 있다. 그리고 그 짐작과 예상이 맞아 떨어질 때, 생각해 두었던 말을 하고 생각해 두었던 반응을 보인다. 내가 지금 무슨 생각을 하는 지, 내가 말하지 않아도 아는 사람이 있다. 때로는 그 사람들이 먼저 내 생각을 알아줬으면 해서 일부러 티를 내기도 한다. 내 맘이 어떤지, 누구보다 먼저 알아주길 바라서.

한마디 말을 하더라도 수식어가 앞에 잔뜩 붙고, 같은 말이어도 빙빙 돌려 말하는 기질이 있는 나란 사람. 두꺼운 껍질을 까야 속살을 맛볼 수 있는 오렌지처럼, 정말 하려는 말을 또 다른 말이라는 껍질로 감출 때가 있다. 모순이다. 내가 하려는 말을 알아주길 바라면서, 정작 쉽게 알아듣게 해주지 않는다니.

나는 그렇게 생각한다. 내 사람이라면 그리고 적어도 당신이라면, 내가 하는 말이 무엇이든 내 눈을 보고 마음을 읽을 수 있을 거라고. 그리고 이것은 나 혼자 생각하는 공상이 아니라, 놀랍게도 날마다 경험하는 것들이다. 내가 한마디도 하지 않았고, 아직 아무런 행동을 하지 않았는데도, 내 마음에 들어왔다 나간 것처럼 내 진심을 본다. 참 다행이다. '말하지 않아도 아는' 사람들과 알고 지낼 수 있다는 것은.

1-9
차라리 그리워하리라

많은 종류의 맛을 자랑하는 아이스크림 가게. 그렇게 수십 가지 맛이 있어도, 정작 나나 주변 사람들의 말을 들어보면 대부분이 선호하는 맛이 있고 그것만 주로 먹는다. 가게에 가면 맛이 궁금한 제품을 골라 한 숟갈씩 미리 맛볼 수 있게 해주기도 한다. 아이스크림도 고작 한 숟갈 가지고서 고르지 못하는데, 내 입맛에 맞는 사람과 만나려면 얼마나 많은 노력을 해야겠나. 자기 필요할 때만 사람을 찾는 사람들은, 아마 상점에서 가방을 사서 실컷 메고 다니다가 지퍼가 고장 나면 불량을 팔았다고 당장 환불을 해 달라고 떼를 쓸 사람들이다.

하다못해 라디오 DJ도 혼자만 실컷 떠들지 않는다. 그들도 시청자 사연을 받는데 혼자서 끝끝내 자기 할 말만 늘어놓는 사람들이 있다. 운동장 한가운데 서서 교장 선생님이 '마지막으로'라면서 삼십 분이 더 넘도록 계속하고 있는 훈화를 듣는 것이 차라리 덜 괴로울 것 같은 생각이 들 정도다.

비록 내 맘 속 인간관계라는 노트에 그 사람들 이름 석 자가 적힌 지가 오래되어 이제 와 지운다고 애를 써 봐도, 희미하게 자욱이 남겠지만. 네이트온 친구 차단하듯이 내 눈에도 너 눈에도 서로 안 보이게 살면 편하겠지만 어디 그럴 수나 있던가.

　그래도 살다 보니 그렇더라. 차라리 저만치 멀리 떨어져서 그리워
하며 사는 것이 나은 사람들도 있더라. 비 오는 날 감상에 젖어 커피
나 한 잔 홀짝댄다거나 혹은 한참 멍하니 앉아 배차간격 긴 버스가
오기를 기다릴 때 그렇게 어쩌다 생각이 나는 것이 나은 사람들도
있더라. 미운 정 운운하며 옆에 계속 두는 것보다 차라리 나중에 반
가운 사람으로 두는 것이 미워하고 싫어하고 증오하지 않게 되는 그
런 사람들. 더 이상은 얽히지도, 매이지도 마라.

1-10
보이는 것보다 가까이에 있습니다
〈☞Dream – Priscilla Ahn〉

　과거로 돌아가서 열일곱의 나를 만난다면 해주고 싶은 이야기가 참
많다. 그중 하나는, 사춘기의 누군가가 아니어도 '주변인' 일 수 있다
는 점이다. 다시 말해 스물 몇 살의 사람들은, 이제 갓 스물이 된 아
이들보다는 조금 더 어른스러워야 한다. 헌데 아무리 날고 기어 봐
도, 여전히 우리보다 나이를 더 먹은 '어른'은 여전히 우리를 애 취급
한다.

　학생 때 참 많은 고민을 했지만 가장 큰 것은 대학에 관한 것이었
다. 무엇을 하고 싶어 하는지, 제일 잘하는 것은 무엇인지 고민하고
겪어 보려 하는데 '학교'는 나에게 공부부터 하라고 했다. 오직 공부!
일단 공부를 잘하기만 하면 나머지는 저절로 해결될 것처럼 말이다.

지금은 그 말이 '완전히' 틀리지 않았다는 것을 안다. 전교 일 등을 하고 누구라도 최고라고 꼽는 대학에 간다면 그가 기계를 좋아하든 의사가 되고 싶어 하든 하고 싶은 것을 선택할 수 있으니. 다만 공부를 잘하라고 재촉하기 전에, 잘하고 싶은 것이 공부인지 아니면 그 외의 다른 것인지 생각해 볼 시간은 필요하지 않겠는가.

생각해보면 참 아쉽다. 그때 내가 더 진지하게 고민하도록 내버려 두었다면 지금에 와서 다시 같은 고민을 하지 않아도 될 것만 같다. 애초에 내가 목표가 없었을까? 아니면 삶에 치여 그것을 잊은 걸까. 나는 왜 이 자리에 서 있는 것인지 한참을 생각해보게 된다. 아니면 정말 하나도 자라지 않은 것인가. 현실을 뒤쫓아 가는 것과 이상을 지키려는 두 개의 자아가 충돌한다. 단번에 느낌표로 바꾸려고 하기에 너무나도 많은 물음표가 있다.

핸드폰이나 지갑을 날마다 가지고 다니는 이유는 그것이 매일의 생활에 반드시 필요하게 된 까닭이다. 자주 꺼내 입는 옷들이 옷장의 맨 앞에 걸려있고, 가장 좋아하는 립스틱이 거울 앞에 놓이기 마련이다. 오래 신은 신발이 내 발에 꼭 맞는 것처럼 진정한 나를 만나려면 오래도록 나 자신을 들여다보아야 하겠지.

1-11
어떤 멍청이에게

남을 낮추거나 혹은 깎 내림으로써 자신을 돋보이게 하려는 어떤 멍청이에게 고함. 나에게 없으나 남에게 있는 그 어떤 무엇도 남이 네 것을 빼앗아서 얻은 것은 아니다. 원래 네 것이었던 것은 세상에 아무것도 없다. 또, 네 것이어야만 하는 것도, 네 몫으로 미리 정해져 있는 것도 그 어디에도 없다. 남을 밀어내서 얻을 수 있는 것은 미움의 반작용으로 돌아오는 또 다른 미움일 뿐.

우리가 설 수 있는 땅의 크기는 정해져 있지만, 개인이 가질 수 있는 자존감과 행복감의 총합은 정해져 있는 것이 아니다. 남이 정할 수 있는 것도 아니다. 오직 나 자신의 태도가 결정하는 것이다. 그러니 타인의 불행에서 행복을 얻는 사람을 가엾게 여겨야 한다. 남을 깎아내린다고 내 행복의 크기가 커지는 것도 아니지 않은가. 그것은 전혀 별개의 문제다.

높은 사람이란 가장 낮은 곳에서 가장 높은 곳까지를 올려다볼 줄 아는 눈을 가진 사람이고, 꿈이 큰 사람은 다른 이의 아주 작은 어떤 꿈이라도 짓밟고 가지 않을 줄 안다. 젊은 그대는 부디 남은 동안 따뜻한 마음으로 살자.

1-12
대면
⟨☞Creep – Radiohead⟩

나는 내가 아니다. 나로 살아가는 동안에, 나 자신이 아닌 타인에 대해 의식하고 신경 쓰고, 그리고 또 그들에게 내가 어떻게 보일 것인지를 생각하지 않을 수 없는 사회적 존재이기 때문이다. 원치 않아도 내가 아닌 타인의 입장에서 나를 바라볼 줄 알아야 한다.

인디언의 지혜를 다룬 수많은 이야기 중에 단연 좋아하는 이야기를 꼽으라면, 마음속에 사는 두 마리 늑대에 관한 것이다. 착한 마음을 늘 되새기며 살면 선한 사람이 된다는 얘기다. 비슷한 맥락으로 자기 자신과의 대화에 더 열중하느냐, 아니면 타인과의 관계에 더 몰입하느냐에 따라 개인의 자아 독립성은 달라질 수 있다.

대체로 겉치장에 힘쓰는 것은 마음의 공허함을 감추고자 함이요, 자꾸만 남에게 의존하는 것은 자신과의 대화가 부족한 까닭이다.

1-13
숨은 그림 찾기

"네가 그럴 줄 몰랐어." 라는 말을 듣게 되면 숨이 턱 막힌다. 나도 나에 대해 다 알지 못하는데, 타인이 나에 대해서 알고 있는 것이 나의 전부였을 거라 생각하는 것은 우습지 않은가. 가끔은 남들이 나보다 나에 대해서 더 잘 알고 있는 것 같은 착각이 든다.

아니면, 사실 그 어느 곳에도 진짜 내가 없는 것은 아닐까. 이십대의 몇 번째 수저를 뜨고 난 지금에 와서 자아 따위를 고민하고 있는 것이 너무나 사치스러운 잡념일까. 누군가에게는 헛생각을 하느라 시간을 보낸다고 치부되어 버리는 것은 아닌 걸까. 배부른 돼지가 되느니 배고픈 소크라테스가 되겠다는 말은 옛날이고, 요즘의 현실은 배고픈 돼지와 배고픈 소크라테스의 밥그릇 싸움이다. 나는 왜 다른 사람이 나를 섣부르게 판단 내리는 것에 대해 신경을 쓰고 겁을 먹는 것인가.

기다리고 있으면 주전자의 물은 더 늦게 끓는 것 같다. 나이를 먹고 소풍이나 명절 또는 방학을 더는 손꼽아 기다리지 않게 되면서, 그 일들이 생각보다 빨리 다가옴을 느끼고 있는 것은 아마 나 뿐만은 아닐 터. 사는 것은 그만큼이나 상대적이고, 절대적인 진리는 변하기 마련이다.

주머니가 한 개 달린 옷을 입고 내 얼굴을 때리는 바람에 맞선 지금.

1-14
존재의 한계

뭐든 어느 정도가 되면 한계가 오기 마련이다. 다이어트에도, 시험 성적에도, 사랑에도 권태기가 있는 것처럼. 세 사람의 말만으로도 없는 호랑이를 만들 수 있듯이, 여러 사람이 이야기하는 나를 듣다 보면 내가 미처 보지 못하고 있던 부분의 나의 모습까지도 볼 수 있게 되는 것이다. 그리고 그 모습을 받아들일지 그 여부는 전적으로 나만의 문제인 것이다. 그래서 때로 나는 정말로 존재하고 있는 사람이긴 한 것인지를 조심스럽게, 정말로 조심스럽게 의심한다.

과연 얼마나 인생에 충실히 살아가고 있는지를 생각하고 따져보며 살아갈 필요가 있다. 우리는 모두, 어찌 보면 가장 자신을 겉으로 내보일 때 가장 자신답지 못 하기 때문이다.

1-15
나와 너 그리고 그 사이
〈☞Flightless bird, American mouth – Iron and Wine〉

'님'이라는 글자에 점 하나만 찍으면 '남'이 되고, '남'이라는 글자에 점 하나만 지우면 '님'이 된다. 그러니 우리에게 더없이 중요한 것은 점 하나를 더하는 것으로 쉽게 남이 되어 버리지 않을 사람을 하나라도 인생에 두는 것이다. 나아가서는 점 하나를 빼는 것만큼 쉽게 남을 함부로 내 사람이라고 믿어서는 안 된다.

남이라는 글자에서 받침을 빼면 '나'가 된다. 남의 인생을 살지 않으려면, 나의 인생에 조금 더 집중하면 된다. 최소한 그 'ㅁ'의 크기만큼이라도.

그리고 때로는 그것이 아무리 많은 용기가 필요하더라도.

1-16
날개옷

누구에게나 그런 옷이 있다. 비싼 돈을 주고 샀으니, 언제 한 번은 입을 일이 있을 것 라고, 차마 버리지 못하는. 그 옷은 그렇게 계절이 다 지나도록 옷장 어딘가에 묻혀 있다. 다음 계절이 되어 정리하려고 옷장을 열었다가, 아, 한 번을 안 입었네, 하고 깨닫는.
내년이 되어도 아마 그 옷을 꺼내 입지는 않을 거다. 막상 안 입는 옷이라도 들인 돈이 아깝고, 새 옷이나 다름없으니 버릴 수도 없다. 그래, 놔두면 언젠가는 입을 일이 생길 거야. 애써 그렇게 생각하면서 옷장에 오래도록 묵혀 두는 그런 옷이 있다. 누구에게나, 다들 한 벌 정도는 옷장에 그런 옷을 가지고 있다.

어쩌면 그 옷은 날마다 옷장 속에서 울고 있을지 몰라. 내가 마음에 들어 나를 위해 기꺼이 지갑을 열었으면서, 이렇게 내버려 둘 거면, 쇼윈도에 걸려 있도록 놔두지 그랬냐고 주인을 원망할 거야. 나를 예쁘고 멋지게 입어 줄 더 좋은 사람에게 가도록 놔뒀어야지.

한 번 입었는데 옷이 어울리지 않는다고 생각했을 수도 있다. 환불하려고 했는데 기간이 지나 버렸을지도 모르고, 가격표를 떼어 버려서 할 수 없었을지도 모르고. 막상 입으려니 어울리는 구두나 가방이 없었을지도 모르고, 옷장에 다른 옷이 너무 많아서 일지도. 슬프게도 그렇게 변명의 꼬리를 물고 늘어지다 보면, 그저 그 옷이 입고 싶지 않아서-라는 진실에 도달하고 만다.

사실 어떤 이의 말처럼 누군가에게 그런 옷이 되기도 그리 쉽지는 않을 거다. 어찌 되었든 결국 옷장 안에서 자기 자리 하나는 차지하고 있으니. 말 그대로, 정말 언젠가 한 번은 입을지 모르고, 그러다 뒤늦게 마음에 들지 모르지.

하지만 옷은 입혀지기 위해 만들어 졌고, 나는 사랑하고 사랑받기 위해 태어난 것을. 그 '언젠가'를 위해 언제고 옷장 속에서 그의 손길을 기다리고 있을 필요는 없다. 쌓인 먼지를 털고, 남은 미련까지 탈탈 털고, 날아가 버리면 그만인 것을.

1-17
자존감의 자급자족
〈🎵Fancy - Iggy Azalea〉

자신의 존재감을 남들에게 습관적으로 확인하는 사람이 있다. 거울을 보거나 체중계에 올라서면 될 텐데, 자꾸만 살이 찐 것 같지 않느냐 묻는다. 누가 자기를 싫어하는 것 같은데, 네가 보기에도 그런 것 같은지 묻는다. 사귀는 사람이 정말 자기를 좋아하는 것 같은지 묻는다. 아니면 헤어지는 게 나을지 묻는다. 자기가 제일 잘 알 것 같은 혹은 자기밖에 모르는 문제의 답을 남에게서 찾으려고 한다. 지문도 안 줘놓고 다짜고짜 관련 문제를 낸다. 그래놓고 또 맞춰보라고 한다.

그저 자기 이야기를 들어 줄 상대가 필요한 사람의 이야기와 자기가 듣고 싶은 이야기를 들으려고 꺼낸 이야기는 전개 방식부터 다르다. 그런 건 대화가 아니고 심지어 고민 상담도 아니다. 상대방을 허수아비 취급하고 무시하는 거지. 같은 맥락으로 입만 열면 습관적으로 자기 비하를 해 대는 사람들도 피해야 한다. 정말로 자존감이 부족해 위로가 있어야 하는 사람들도 있지만, 타인의 자존감을 훔쳐서 본인의 자존감을 충족시킬 수 있다고 믿는 도둑도 있기 때문이다.

마음은 한 평짜리 텃밭 같은 거다. 가끔 미움이나 원망 같은 잡초가 자라거든 뽑고, 예쁘다 행복하다 기쁘다 물 줘가며 스스로 가꿔야 한다. 그렇게 잘 가꾼 텃밭에서는 자존감도 쑥쑥 잘 자란다. 괜한 피해 의식의 낫을 타인에게 휘두를 필요가 없다. 그들이라고 처음부터 기름진 땅을 가진 것이 아니니. 내가 가진 텃밭에 풀 한 포기 나지 않는다는 것은 내가 돌보지 않았기 때문이다. 쩍쩍 갈라지고 잡초로 무성한 밭이라도, 충분히 비옥한 땅으로 바꿔 낼 수 있다.

그러니 하늘에서 비가 내리지 않는다고 욕지거리를 하느니, 그럴 시간에 직접 물을 뿌리고 스스로 밭을 갈아라.

1-18
우선권

아무렇지 않다고 말하면 그게 진심인 줄 알고 그대로 믿으면서, 아니라고 실은 숟가락 하나 들 힘도 없다고 하면, 에이- 그 정도는 아니지, 하고 군소리를 한다. '나 때는 말이야.' 하는 종류의 참견이 무더기로 쏟아진다.

쉴 틈이 부족한 것이나 온몸이 욱신거리는 것 정도는 견딜 만하다. 오히려 생각했던 것만큼 힘들지 않다. 사실 정말 어려운 것은 해야 하는 일을 하면서 그 와중에도 내가 하고 싶어 하는 일들을 놓지 않는 것. 그것은 아무리 노력해도 정말 어렵다.

모든 일에는 우선순위가 있다. 급한 일, 중요한 일, 하고 싶은 일, 해야 하는 일. 그리고 그것을 정하는 것은 지금껏 나였다. 가족이 함께 가게를 하게 된 순간부터, 삶의 무게 중심은 내가 아니라 가족으로 옮겨갔다. 그제야 부모님이 짊어진 무게를 가늠할 수 있게 되었다. 자유를 포기했지만, 그것도 엄밀히 말하면 내 자유 의지였다. 나는 더는 나에게 우선권을 행사할 수 없게 되어버렸지만, 걱정했던 것만큼 싫지는 않아서 다행이다.

내가 누구인지, 어떤 사람인지, 앞으로 무엇을 하면서 살아가고 있는지 잊지 않는다면, 나는 꼭 그렇게 되고 말 것이다. 아무리 오래

걸리더라도. 아무리 외롭다 하더라도.

1-19
누구도 누구보다 낮지 않다
⟨☞Deep - Bincular⟩

쓸데없는 것들을 생각하고 담아 두느라 머리가 그렇게도 지끈거리나 보다. 사실 그러느라 시간을 소모하는 것만큼 부질없는 짓이 없다는 것을 알면서도, 그렇게 노력해도 부질없는 것에, 쓸모없는 것에 무뎌지는 것이 어렵다.

타인에 대한 상념 또는 타인에 대한 회의감. 내가 불행 속에서 울먹거리며 주저앉아 있을 때, 얘기를 들어주고, 어깨를 두들겨 주지만 막상 좋은 일이 생겨 좋은 기분을 나누려고 하면 물러나서 등을 돌린다. 이럴 땐 기쁨을 나누면 두 배가 된다는 말은 거짓말이다. 그래, 그냥 그러려니 하자. 그럴 때도 있으려니 하자. 서운해 할 필요도, 속상해하거나 화를 낼 필요도 없다. 구태여 그런 감정 소모는 필요 없다. 상대적 박탈감, 자신의 불행이나 어려움을 온전히 혼자서 견뎌내고 싶어 하는 때도 누구에게나 있지 않은가. 그렇다면 그 반대라고 왜 안 되겠어.

혹여 내가 여전히 불행하기를, 혹은 앞으로도 힘들어하기를 바라는 타인이 있다면, 내가 저 구렁텅이에서 '벌써' 빠져나온 것이 반갑지 않은 사람이 있다면, 나는 그만큼 더 악을 쓰고 더 버텨보려 할 테다.

사람은 누구나 혼자이고 또 그럴 수밖에 없는 필연적인 운명을 타고나지 않는가. 타인의 불행을 보고 내 생활이 안전한 것을 위안 삼을 필요도 없고, 타인의 행복을 바라봄에 있어 상대적인 박탈감을 느낄 필요도 없다. 너는 너고, 나는 나인데. 내 생활에 집중하다 보면, 그만큼 상대의 삶을 돋보기로 들여다보고 일희일비할 일도 없어진다.

전전긍긍하거나, 조급하게 굴어야 할 이유가 없다. 하고 싶은 대로, 생각하는 대로, 옳다고 믿는 대로 하면 그만이다. 내 행복을 세상에 널리 알릴 필요도 없고, 때로 불행해지더라도 세상이 그걸 보고 비웃게 만들 이유도 없다. 나는 나를 사랑하고, 내가 나 자신을 더 행복하게 만들리라는 것을 의심하지 않는다.

1-20
틀린 게 아니라 다른 거야

내가 나로 살아온 시간 동안, 다른 사람은 그 자신대로 살아온 시간이 있을 테니 모두는 다를 수밖에 없는 존재가 아닌가. 누구를 만나든 간에 잊어선 안 될 어떤 것은 나와 얼마나 다른가가 아니라 서로가 다름을 얼마나 껴안아 줄 수 있는 가이다.

다른 사람의 마음만큼 알기 어렵고 내 뜻대로 하기 어려운 것이 없다고 생각했었는데, 그보다 더 어려운 것이 나를 알고 내 마음을 듣는 것이라는 걸 부쩍 느끼고 있다.

스스로 보잘것없는 사람으로 느껴질 땐 주변을 보라. 당신을 진심으로 생각하고 아끼는 이들을 보라. 그리고 다시 일어서서 그들의 믿음을 져버리지 않으려는 노력을 하라.

1-21
내가 꿈꾸는 내일
〈☞When I'm gone - Anna Kendrick〉

언젠가는 이층집을 사서 마음이 가까운 사람들과 모여 함께 시간을 보낼 수 있으면 좋겠다. 더운 날엔 평상에 앉아 수박을 썰어 먹고, 추운 날엔 열기가 후끈한 아랫목에서 고구마를 나눠 먹고. 책도 읽고 그림도 그리고, 나른한 오후에 쿠키를 구워 커피 한 잔 함께 마실 수 있으면 더 좋고.

일요일 저녁에는 맛있는 요리를 한 상 가득 차려놓고 당신들을 기다리고 싶다. 시원한 밤에는 조금 시끄러운 음악을 틀어두고 칵테일 파티를 하고 싶다. 모두가 돌아간 뒤 설거지가 산처럼 쌓여 있다 하더라도, 그래도 너무 행복할 것 같은. 이런 마음.

아무나 할 수 있는 일을 한다고 아무것도 아닌 사람이 되는 것이 아니다. 누구나 할 수 있는 일이라면 누구도 나를 대신 할 수 없을 만큼 열심히 하면 된다. 숨이 벅찰 만큼 바쁘게 살다 보면 언제든 가슴 벅차게 좋은 일도 생길 거라고.

아직 하고 싶은 것들이 너무 많다. 그러니까 더 열심히 살아가야지.

2
커피 한 잔의 시간

잠이 덜 깬 아침에 마시는 드립 커피 한 잔은
정신이 번쩍 들게 만든다.
그리고 모두가 잠든 새벽에 마시는 라테만큼
나를 따뜻하게 안아주는 것은 없다.

⟨☞Falling in love at a coffee shop - London Pigg⟩

  그 날은 친척 언니가 결혼하는 날이었다. 식이 끝나고
멀리서 온 친척들을 터미널로 배웅하러 갔었고, 차 시간이
많이 남아 들른 곳이 '스타벅스'였다. 메뉴판을 봐도 뭐가
뭔지 도통 알 수 없어 우물쭈물하고 있으니 엄마가 내 몫
으로 오렌지 주스를 주문해 줬던 기억이 난다. 나는 중학
생이었고, 어른들 틈바구니에서 빨대로 주스를 쪽쪽 빨아
마시면서 커피 향기가 참 좋다고 생각했다. 마치 커다란
커피 잔에 온몸을 담그고 있는 것 같았다.

엄마는 커피를 마시면 머리가 나빠진다고 했다. 가끔 엄마가 집 청소를 끝내고 머그잔에 믹스 커피를 타서 마시고 있을 때, 에이스 몇 조각에 커피를 적셔 먹는 것 정도만 겨우 허락해 주셨다. 커피 맛을 모를 나이는 아니었지만, 하지 말라는 것을 구태여 하려고 들지 않던 나이였다.

그런 인상이 진하게 남은 까닭인지, 성인이 된 지금도 커피를 마신다는 건 왠지 어른답게 시간을 보내는 느낌이 든다. 커피를 마시면서 밤을 새워도 엄마의 잔소리를 듣지 않는 것은, 묘하게 기분이 좋다.

2-1
어떤 대학생의 일일
⟨☞Bistro fada – Four on Six band⟩

술을 마시고 친구들과 어울려 놀 때 새벽 두 시는 집에 들어가기에 조금 이른 시간인 것만 같다. 그리고 새벽 여섯 시 또한, 일어나서 학교 가는 준비를 하기엔 조금 이른 시간인 것 같다. 학교 다닐 땐 자기관리 해야 해. 머리 모양이며 옷이며 이런 거 돈 아끼지 마. 남들도 다 그래.

공부는 시험 기간 때 바짝 하면 돼. 어차피 학점만 잘 나오면 땡이야. 대학교 졸업장 받으려고 온 거잖아. 취업이나 신경 써. 뭐 할까? 하고 싶은 거 있냐? 공무원 시험이나 준비해 볼까? 요새 많이들 하잖아. 경쟁률 세던데 안 되면 다른 거 하지 뭐. 자격증은 요새 뭐가 좋대?

피자 맛있게 굽는 가게는 어딘지 알겠는데, 이번 시즌 신상 백은 가격까지 줄줄 읊겠는데. 바로 지난 학기에 들은 전공 강의의 담당 교수가 누구였는지조차 가물가물하는-

이것은 젊음에 대한 모욕이다. 부끄럽게 생각해야 할 것은 철 지난 원피스가 아니라 놓쳐버린 많은 배움의 기회이다. 남 보기에 부끄러운 것은 화장하지 않은 얼굴이 아니라 채우지 못한 지식과 진리의 탐구여야 한다.

얼마나 노력했다고 현실을 불평하는가?

2-2
탈무드

랍비가 물었다.
"벽난로 청소를 하러 두 아이가 들어갔는데, 한 아이는 깨끗하게 나오고 한 아이는 얼굴이 검댕이 투성이였다. 어떤 아이가 얼굴을 씻겠는가?"

청년이 대답했다.
"당연히 검댕이가 묻은 아이겠지요"

랍비가 웃으며 이렇게 말했다.
"두 아이가 같은 벽난로에 함께 들어갔는데 어찌 한 아이만 검지 않을 수 있겠나?"

사람이 살면서 하는 가장 큰 착각 중에 하나가 바로 자기 자신은 '그렇지 않다'는 것이라고 한다. 따지고 보면 누가 누구를 비난할 자격이 어디 있는가. 내 얼굴을 먼저 보지 않고 남의 검은 얼굴을 가리키는 것. 남의 깨끗한 얼굴을 보고 나도 그렇겠거니 하며 넘겨버리는 것. 앞으로는 더욱 생각하고 생각하지 않을 수 없겠다.

또한 반드시 해야 할 말을 하지 않고 침묵하는 것은, 해서는 안 될 말을 생각 없이 내뱉는 것만큼이나 옳지 않다. 딴은 자기 자신의 부족함은 절대로 남의 탓이 될 수 없듯이.
그런 감정 소모는 인생의 낭비다. 한 번으로 그치지 않는다면 그게 어디 실수였다고 변명이나 할 수 있겠는가.

2-3
식욕과 다이어트, 그리고 여자

〈☞New york girls - Morningwood〉

그 여자는 가끔 레스토랑에 가서 풀코스의 저녁 만찬을 즐긴다. 실컷 식사를 즐긴 후에는 반드시 '시럽을 넣지 않은' 아메리카노를 마셔야 한다.

아마도 그녀는 일 년 내내 다이어트 중이다. 때로 늦은 새벽 편의점에 간식거리를 사러 갈 때면 고르는 것은 죄다 99kcal, 저 열량, 무설탕, 제로 트랜스지방. 그리고 칠천 팔백 원을 낸다. 먹으면서 안심한다. 저런.

그녀는 운동을 즐기지 않지만, 분명히 어떤 헬스장에 회원으로 등록되어 있을 것이다. 옷장에는 2인치쯤 작은 치수의 치마 한 벌은 걸려 있을 것이다. "올해에는 비키니 입고 워터파크에 갈 거야!"라는 새해 다짐은 분명 작년에도 했었고, 오늘만 야식의 유혹을 참지 못한 것이 아니다.

그런 그녀의 달력에는 내일이 없다. "내일은 조금만 먹어야지"의 '내일'은 도대체 언제인지.

2-4
말과 행동의 달리기

말은 행동보다 걸음이 빠르다. 말보다 행동이 앞서야 하는 이유는 바로 그 때문이다. 한번 말이 앞서기 시작하면 걸음 느린 행동은 절대 말을 앞질러 갈 수가 없다. 심지어

말 바꾸는 것은 일도 아니다. 그렇지만 어디 행동을 바꾸기가 쉬운가. 말은 머리에서 나오고 행동은 마음에서 나온다. 진심, 가치관, 잠재의식과 같은 많은 것이 행동 하나에 담겨 있다.

가볍게 말하는 사람으로부터는 거리를 두는 것이 좋고, 가볍게 행동하는 사람에게서는 달아나도록 해라. 그런 사람은 시계판 없는 시한폭탄이라 언제고 그 파편에 당신이 다치게 될지 알 수 없다. 당신이 달아날 수 있는 만큼, 최대한 멀리 도망쳐라.

2-5
당신이라는 인간의 멸종
⟨☞It's Amazing – Jem⟩

진화론에 따르면 고정된 먹이만을 먹는 동물은 멸종 위험이 크다. 하나의 표집 지역 안에서 먹이가 서로 겹치는 여러 종이 있을 경우 종 간 경쟁이 일어나고 그 경쟁에서 밀려난 종은 결국 멸종한다. 그리고 인간은 '잡식성' 동물이다. 적응을 잘하는 동물이고, 어떤 먹이든 먹어 치울 수 있다. 식성에 대한 기호만이 존재할 뿐. 마음먹기에 따라 인간이 먹지 못할 것은 없다. 덕분에 다른 종과 먹이 경쟁 없이 오래도록 지구를 지배해왔다.

그러나 이러한 이점이 무색하게 내부에서의 경쟁은 갈수록 심해졌다. 수십 년째, 길게는 수백 년째, 아주 오랫동안 인간은 단 하나의 고정적인 먹이만을 위해 달려들고 있기 때문이다. 고로 나는 인간이 조만간 스스로 멸종하지 않을까 하는 생각이 든다.

지구 상 인간들이 돈, 명예, 권력, 마른 몸매만을 두고 더 갖기 위해 경쟁하는데 온 에너지를 쏟아 붓고 있다. 그리고 더 큰 문제는 이러한 경쟁 심리를 조장하는 경쟁자들에게 있다. 자신의 딸이 '조그만 집에서 글을 쓰며 살고 싶어요.'라고 한다면, 아마 밀레니엄 시대의 엄마는 이렇게 말할 것이다.

"얘야, 넌 살을 좀 더 뺀다면 본인 명의의 30평대 아파트가 있고 중형차를 모는 연봉 사오천의 남자를 만나 잘 살 수 있을 게다."

이상한 일이 아닐 수 없다. 책을 좋아하는 내가 십만 원을 주고 명작 도서 전집을 샀더라도 그것에 흥미가 없는 사람들에게는 십 원의 가치도 없을지 모른다. 그렇지만 당신이 그 가치를 인정하지 않는다 해서 내가 인정하는 그것의 가치가 달라지는 것은 결코 아니다.

당신 자신과 당신이 가진 것의 가치를 인정받기를 원한다면 남과 남이 가진 것의 가치의 상대성을 먼저 이해하라. 세상 그 어디에도 '모든 것'을 가진 사람은 없으니 모두들 조금은 덜 가졌고 가진 것이 남과 다 다르다. 그러니 그가 당신이 가진 것을 가지지 못했다고 해서 당신보다 덜 가졌다고 말할 수 없다.

대부분의 사람이 지금 가진 것에는 만족하지 못한다. 당신 역시 돈, 명예, 권력, 근사한 외모를 원할 것이다. 지금보다 더 많은 그리고 더 좋은 것을. 그것들을 어떻게 하면 갖게 될 수 있을 것인지에 대해서 충분히 많이 그리고 넘치게 생각해왔을 것이다. 그렇다면 앞으로는 다르게 생각해보자. 당신은 왜 그것들을 원하는지에 대하여 조금 더

본질적이고 구체적으로. 예를 들어 아우디의 A6 시리즈를 사고 싶어하는 사람이 있다고 해보자. 그것이 만일 성능과 효율성이 개선된 FSI 연소 시스템과 연료 분사 제어 시스템 개선에 매력을 느껴서가 아닌 이웃이 BMW 740을 새로 뽑았기 때문이라면, 그래도 그가 그 차를 사는 것이 그를 위해 좋은 것인가? 심지어 그가 금전적으로 그럴만한 여유가 넘치는 것도 아니라면? 캐피탈에 견적을 문의하는 것을 그만두는 것이 더 낫지 않겠는가.

이제는 좀 까놓고 솔직해지자. 남이 쫓는 것을 쫓는 것이 당신의 기호라면 말리지 않겠다. 그렇다면 이미 당신 자신이라고 말할 사람 자체를 도둑맞아 버린 거다. 비싼 것이 좋은 것이 아니라, 진정 원하는 것이 좋은 것이다. 남이 매긴 가격에 휘둘리며 흥청대지 말고, 스스로 그것의 가치를 매겨 보라.

2-6
스물 하나의 캐롤
〈☞Home - Michael Buble〉

한 해의 끄트머리에서 지난 한 해를 반성하고 다가올 내년을 계획하는 것은, 당연히 해야 할 일처럼 여겨지곤 한다. 인간과 다른 동물이 구분되는 가장 큰 기준점이 바로 '미래'에 대한 인지라는 것은 인류학자들이 밝혀낸 놀라운 사실 중 하나이고.

혹자는 봄이 올 때까지 겨울잠을 자는 동물들이 가을에

왕성한 사냥을 통해 몸속에 지방을 축적하는 활동이나, 다람쥐 같은 설치류가 서식지에 열매를 비축해 두는 등의 동물들 나름의 '월동준비'에 대해 의문을 제기할 수 있다. 사실 이는 종마다 아주 오랜 세월을 거쳐서 온도 변화에 대한 유전적인 적응을 통해 얻은 진화의 산물이지, 동물들이 스스로 미래에 '자각'해서 발생하는 결과는 아니다.

그래서 미래를 인지할 줄 아는 한 인간인 내게 묻는다. 올해는 얼마만큼의 반성을 해야 할 지, 또 얼마나 나를 칭찬해 줄 수 있는지에 대해. 내가 남들에게 어떤 말을 하는 것과는 별개로, 나 자신에 대해 -여느 나르시시스트 들이 그러하듯이- 꽤 관대한 편이었다. 그러나 불행하게도, 이십 대에 접어들면서 미래에 내 생각은 자연스레 학습 된 압박감과 무력감으로 도배되었다.

그런 고로 스무 살 이래로 두 번째 맞이하는 나의 연말도, 달갑지만은 않다. 일 년을 365일로 정한 사람들을 원망할 것까지는 없겠지만, 이십 대의 호들갑으로 치부해버리기에는 나이 듦에 대한 압박을 떨치기가 왜 이리도 어렵고 힘든지 모르겠다. 자그마치. 비명을 지르고 싶다.

오로지 대학 입학이 목표였던 열아홉 살의 나는, 지금 보면 위대하게도 가족들이 무의식적으로 거는 나에 대한 기대와 주변의 시선, 그리고 스스로 느끼는 책임감을 비롯한 모든 무거운 짐들을 '날개' 라고 표현했던 기억이 난다. 그리고 그보다 '조금 더' 나이를 먹은 나는 이것을 되새기려고 무진장 노력하고 있다.

연초에 세우는 계획은 늘 '이상'이다. 실현되기 전의 목표는 다르게 말하면 '계획'이며, 그것을 실현해야만 '현실'이 된다. 결국은 원하든 원치 않든지 간에 우리 모두에게는 때때로 '이상과 현실의 괴리'를 느껴야 하는 때가 생긴다는 것이다.

지나버린 날들을 위해 내가 할 수 있는 것은 오로지 후회뿐이다. 기대가 크면 실망도 크다. 생각해보니 열아홉 살의 나는 분명 스물에 대한 기대가 너무 컸다. 특별히 그해에만 일 년이 500일쯤 되는 것도 아닌데. 불현듯 스물아홉 살의 내가 서른 살의 나 자신에게도 이렇게 무리한 기대를 하고 바라는 것이 많을지 벌써 걱정이 되기 시작한다.

이십 대는 비겁하게 보내야 한다. 10대일 때 보다 더 많이 욕심내야 하고, 날아오는 불행을 민첩하게 피해야만 한다. 기회주의라고 비난받을지언정 조금은 이기적으로 굴수밖에 없는 때다.

다만 불안과 압박에 대한 다소 우울한 것들과의 술래잡기에서 휘청대고 있는 나에게, 그래도 괜찮을 거라고 속삭여 주어야지. 삶이라는 문장의 마침표가 오는 그 순간까지 나는 나일 수밖에 없는 까닭에.

2-7
아무렇지 않은 하루를 보내는 방법
〈☞Move you – Aaya Marina〉

눈을 뜨면 해가 중천에 떠 있다. 끽해야 대여섯 시간이나 잤을까 싶지만, 더 누워 있어 봤자 잠이 오는 것도 아니니 일어나서 찬물로 샤워한다. 입맛이 없다. 옷을 갈아입고 나갈 준비를 한다. 집 근처에 있는 P 카페 에서 커피를 한잔 하고 학교에 간다. 아니, 정확히는 학교 근처 피시방에 간다. 그리고 동영상 강의를 듣는다. 주변에서 게임을 하든 맞고를 치든 묵묵히 강의를 세 단원 정도 듣는다. 도서관에 간다. 복습 한다. 문제를 풀고 내용을 속으로 중얼거려 본다. 그러고 나서 머리에서 쥐가 난다 싶을 때에 도서관을 나선다. 책을 몇 권 빌려서 S 카페 3층 창가에 자리를 맞춰놓고 앉는다. 배가 고플 테니 샌드위치나 케이크를 먹는다.

이쯤 되면 오후 여섯 시가 조금 넘는다. 볼만한 개봉 영화는 이미 다 봤고, 딱히 어딜 갈만한 시간은 아닌데 집에 가기에도 이른 시간이란 데에 생각이 미치면 그럼 쇼핑이나 할까 한다. 그게 아니면 누군가와 술을 마신다. 친구일 때도 있고, 친한 언니나 오빠일 때도 있고, 드물지만 예전 동료를 만나 한 잔 마실 때도 있다. 그렇게 날을 새도록 말로 술을 마신다. 날씨 탓으로 운동을 미룬 것이 보름이 넘었다. 종강 전후로 여러 가지 일이 생겨 보름 가까이 날을 샌 탓에 바뀐 밤낮의 피로는 여전히 몸을 괴롭힌다. 다만 악기 연습은 틈이 날 때마다 하고 있다. 어떤 것을 두고 이것도 하나의 할 일이 생기는 것 같다고 했던 말이 떠오른다.

인생에서 어쩌면 가장 중요한 시기에 가장 한가한 날들을 보내고 있다. 살아가고 있다는 느낌보다는, 소비하고 있는 것 같다. 언제나 그렇듯 가장 좋지 않은 상황은 알면서도 바꾸지 않는 것이다. 그랬더니 한 달이 넘도록 이런 일 일이 반복되고 있다.

'그렇지만 현주 씨는 곧 이렇게 따분한 일상에 싫증을 낼 것이다.'

철이 덜 들었다. 스스로 지나치게 특별하다고 생각하기 때문이다. 나를 포함한, 날마다 아무렇지 않게 하루를 보내는 사람들은 알아 둘 필요가 있다. 다그치고, 무언가를 이루기 위해 채찍질하고, 당장 고통을 인내하는 것 역시 자기 자신을 사랑하는 위대한 방법임을.

2-8
고양이와 마녀, 그리고 옷장
〈☞Black Widow - Iggy Azalea (feat. Rita Ora)〉

흔히 남자들의 뒷담화는 여자들의 그것보다 무섭다는 이야기들을 한다. 그것은 순전히 남자들의 영역이므로 나는 누구 말마따나 평생을 가도 알지 못할 거다. 대신 나는 여자의 그것이 왜 무서운지는 잘 안다. 그들은 절대로 앞에서 칼을 드는 법이 없다. 오히려, 서로 얼굴을 마주 보고 있는 동안에는 너무나 천사 같아서, 바로 눈앞에 적을 두고도 모르는 경우가 허다하다. 나 역시 그랬다. 정신을 차리고 보면 이미 그 칼날이 너무나도 가까이 와있는 바람에, 정작 그 칼날을 겨눈 것이 누구인지조차 알 수 없게 되는 경우가 허다하다.

　사실 여자의 적은 모든 다른 여자인 것이 아니다. 여자를 적으로 간주하고 사는 불특정한 여자들이 그렇지 않은 평범한 여자들의 골칫거리가 될 뿐이다. 고양이가 귀엽고 털이 보송보송한 앞발에 날카로운 발톱을 숨기고 있듯이, 자기를 제외한 다른 이들을 적으로 보고 있다는 것을 숨기고 있을 뿐이다. 너무나도 태연히.

　목수가 집을 바닥에 그리더라도 주춧돌부터 반듯하게 놓는 것은 제대로 서 있지 않은 받침 위에는 어떤 집도 세울 수 없다는 것을 경험으로 이미 터득하고 있기 때문이다. 이와 같은 맥락으로, 나는 그런 가식과 위선으로 채워지고 포장된 사람들과 위태롭게 우정을 쌓아 올리고 싶지 않았다. 적어도, 이 거리를 누비는 수많은 마녀는, 양심이 있다면 자기가 겨눈 칼날만큼은 스스로 '내 것이요.'해야 하지 않을까?

　그래, 그렇다면 좋겠지만, 불행하게도 마녀는 괜히 마녀가 아니다. 동화 속에서 마녀는 늘 악행에 따른 대가를 치르지만, 현실의 마녀는 모든 것을 가리고 감추고 있어서 피하는 것조차도 보통 일이 아니다. 그러니 당신 또한 나처럼 경각심을 가져야 하지 않겠는가.
　암만 봐도 팔둑이 꽉 끼는 재킷인데도 옷이 예쁘게 잘 맞는다며 칭찬한다면 일단 의심해도 좋다. 그리고 다음부터 같이 쇼핑하러 가지 마라. 해마다 옷을 사는데도 옷장에는 도무지 입을 옷이 없는 이유가 순전히 그녀 때문일 수 있다.

2-9
미친개 이론

어떤 생각을 하는 것은 그저 스쳐 갈 뿐이지만 말은 증인을 남기고 글은 증거를 남긴다. 입이 무거운 사람은 말이 가진 책임이라는 추의 무게를 아는 사람이고 모든 일기가 비밀스러운 이유는 그 사람의 벌거벗은 자아가 그 안에 있기 때문이다.

고로 보통 제정신을 가진 사람이라면 자신의 머릿속에 있는 말을 곧장 밖으로 뱉거나 글로 쓰는 일에 대해 여러 번 생각하기 마련이다. 생각만으로 누구를 해할 수 없지만, 가시 돋친 말은 상대방의 가슴에 꽂혀 상처를 낸다. 마음이 단단한 사람이라면 쉽게 생채기가 나지 않겠지만, 세상에는 강철과 같은 마음을 가진 이가 그리 많지 않다. 탁한 마음을 가진 사람은 아무런 이유 없이도 쉽게 타인의 자아를 깔아뭉개려고 한다.

그리고 나는 그런 부류의 사람들을 '미친개'라 부른다. 밀쳐놓고 "누가 거기 있으래?" 하는 놈이나, 말을 함부로 뱉어 놓고 "뭘 그거 가지고 그래?" 하는 놈이나, 죄다 미친놈이다. 심지어 뭘 잘못했는지 말해줘도 모른다. 아무리 봐도 인간 같지는 않은데 목줄도 없이 거리를 마구 활보하고 다니니 피하고 보는 게 상책이다.

암만 신호가 초록 불이고 횡단보도 위라도, 미치광이가 운전대를 잡고 한껏 속도를 높여 달려오고 있다면 일단 피하고 볼 일이다. 누구의 잘잘못이나 고의성을 따지기 전에 가장 먼저 생각해야 할 것은 당신 자신의 안전이다.

하물며 그 대상이 당신의 마음이라면 그것을 지켜야 하는 것은 오로지 당신의 몫이다. 달려들면 피하고, 물어뜯으려 하거든 도망가라. 더러워서 피해야 할 것은 거리의 개똥만이 아니다.

2-10
티끌만큼
〈☞Uptown Funk - Mark Ronson〉

세계의 모든 사람은 최대 다섯 사람 안에 연결되어 있다고 한다. 느닷없이 "제 스타일이시네요."라고 쌍팔년도 작업 멘트를 날리며 내게 연락처를 준 낯선 사람이, 알고 보니 내 친구가 아는 사람일 경우는 사실 흔해 빠졌다. 그러니까 생판 모르는 낯선 동네에 가서도 말을 삼가야 하는 이유는, 바로 등 뒤에 앉은 사람이 아는 사람일 가능성이 생각보다 높기 때문이다.

아무리 낯선 곳에 가더라도, 찾아보면 익숙한 것 하나는 반드시 있기 마련이다. 그 사실을 의식하고 나면 분명 전보다는 조심스럽게 행동하는 자신을 발견할 수 있다.

정말로 믿음직스러운 것도 한 번쯤 의심해 볼 필요가 있다. 암만 티끌만큼의 작은 확률도 당사자에게는 결국엔 절반이며, 그것은 티끌이 아니라 태산이다.

2-11
지랄 맞음에 대한 공식

사람에게 한정된 것은 비단 젊음만이 아니다. 모든 인간에게 인내심이란 한계가 있다. 아무리 성격이 좋은 사람이라도 참을 인 세 번을 넘기면 하다못해 인상이라도 찌푸릴 것이다. 옛날에 참을 인 세 번은 살인도 면한다 했으면, 요즘에는 참아주면 뭉개려 든다.

태어나서 자라고 성숙하고 생을 마감하기까지, 우리는 수많은 삶의 단계를 거친다. 그리고 그중에는 통상적으로 그 시기에 겪는 일들이 있다. 마치 암묵적으로 정해져 있는 것 마냥. 중학교와 고등학교 사이에 사춘기를 겪는 것이나, 스무 살에 대학을 입학하는 것, 대학 졸업과 취업, 그리고 30대 이전 또는 그 무렵에 결혼하는 것이 대개는 '정상적'인 것으로 받아들여진다. 실제로도 많은 사람이 당연하게 그 시기에 이런 과정들을 거친다. 그러니 청춘을 다 보내고 노년에 결혼하는 어떤 부부나, 나이 삼십을 더 먹고도 아직도 고등학생인 마냥 철없이 행동하는 사람이 튀어 보이기 마련이다.

뒤늦게 온 사춘기가 무서운 것도, 늦바람이 무서운 이유도 당연하다. 후폭풍이라는 말이 괜히 있는 것이 아니듯이. 타고난 성질머리는 못 고친다고 하지만 살면서 지랄 맞게 변하는 이들은 또 얼마나 많은가. 젊어서 걸쭉한 성격을 가진 사람이라도 나이를 먹고 세상 풍파를 겪고 나면 노쇠해지듯, 여린 사람이 살다가 상처받고 어느 날 독기를 품게 되기도 한다. 그러니 지랄병에 걸리려거든 한 살이라도 어릴 때 앓고 지나가는 게 낫다. 지랄 맞아도 될 때 지랄 맞게 구는 것은 차라리 양반이다. 참았다 싸는 똥만큼 악취를 풍기는 것이 또 있을까.

2-12
도둑맞은 인생
〈☞Young, wild and free - Snoop Dogg & Wiz Khalifa (feat. Bruno Mars)〉

어렸을 때 받아들인 그 속담의 의미는 시간이 황금과 같이 귀중하고 소중하다는 뜻이었다. 유치원 선생님은 분명 "어린이 여러분은 매시간을 소중하게 여기고 계획 하세요"라고 말씀하셨다. 방학이 코앞에 다가올 때면 항상 생활 계획표를 짜서 내야 했고 그대로 실천하려고 노력해야(하는 척이라도) 했다.

아마도 옛 성인과 현자들은 미래의 철저한 자본주의 속물들의 삶을 완벽하게 예지해 낸 것 같다. 속담의 묘미가 비유라고 한다면 우리는 그동안 철저하게 속은 것이다. 왜냐하면, 시간은 '진짜' 금이자, 곧 돈이기 때문이다. 지금 우리는 시간이 철저하게 돈으로 치환되고, 그 대가로 지급되는 세상에서 살고 있다.

가족이나 친구들과 함께 떠난 여행, 소중한 지인들과 다같이 모인 저녁 식사 시간을 돈으로 바꾸면 얼마일까? 단순하게 경비가 얼마나 들었는지를 묻는 것이 아니다. 대답하기 쉽지 않은 질문이다.

아끼는 사람들과 보낼 수 있는 시간을 금전적인 것과 비교해 생각해 볼 연결고리가 거의 없기 때문이다. 그렇다면 아르바이트를 하는 주변의 친구에게 물어보자. 시간당 얼마를 받느냐고. 만일 최저 시급을 받는다고 말한다면 비교적 운이 좋은 축에 속한다.

당신은 당신의 삶에 가치가 아닌 가격을 매길 수 있는가? 이것은 흡사 얼마를 준다면 당장 죽겠느냐 묻는 것과 다르지 않다. 아마 생활고에 찌들어 당장 삶을 포기하고 싶을 만큼의 삶의 무게를 지닌 어떤 부모라면, 자식을 생각해 죽겠노라고 선택할 수도 있을 것이다. 그러나 그 돈을 당사자만 쓸 수 있다면 무용지물이다. 그러므로 죽었다가 다시 살아날 수 있는 말도 안 되는 능력을 가지고 있지 않은 이상 죽음은 가격도 가치도 없는 것에 불과하다는 결론에 이른다.

안타깝게도, 세상은 스스로 가치 있다고 느끼고 열심히 살아가는 사람들에게도 가격표를 매긴다. 당신이 어떻게 살아온 인간이든, 어떤 능력이 있는 사람이든 중요치 않다. 일단 편의점에서 아르바이트를 하기로 하면 당신의 한 시간은 최저 시급이거나 그에 미치지 못하는 금액으로 바뀐

다. 다시 말하면 당신은 돈으로 당신의 청춘을 되살 수는 없지만, 기성 사회는 얼마든지 당신의 청춘을 돈으로 살 수 있다는 것이다.

그럼 차라리 좀 더 나은 일을 하면 되지 않느냐고? 그 '좀 더 나은 일'을 해보려고 노력하는 중에도 돈이 들고, 그 돈을 벌기 위해서 뭐가 되었든 해야 하는 세상이다. 애초에 '좀 더 나은 일'의 의미는 무엇이냐? 그것은 조금 더 '버는' 일이다. 같은 시간을 더 비싼 가격으로 팔 수 있도록 하는 일.

세상은 당신이 무엇을 잘할 수 있고 또 무엇을 좋아하는지 신경 쓰지 않는다. 그리고 어쩌면 살아가다보니 당신에게도 그것들이 별로 중요치 않게 되어버렸을지 모른다. 요즘의 '좋아하는 일을 하라'는 말은 예전과 의미가 달라졌다. 일하지 않는 자 먹지도 말라고 해서 열심히 일했더니, 아무리 아등바등 열심히 해도 좀처럼 먹고 살기가 힘든 세상이 되어버렸다.

살아가기 위해서 일하는데, 일하느라고 제대로 살 수 없다면 그것은 과연 누구의 인생이고 삶인가. 그는 진정 사람다운 사람인가 아니면 사회라는 물레바퀴에 짓눌린 하나의 소모품에 불과한가.

2-13
작은 차이
⟨☞La vie en rose - Louis Armstrong⟩

마른 여자는 볼품없어 보여 싫다고 하는데, 날씬한 여자는 좋다고 한다. 통통한 여자는 귀엽지만, 풍풍한 여자는 여성스럽지 않단다. 한 뼘도 안 되는 길이의 스커트를 입은 여자를 보고는 혀를 쯧쯧 차는데 숨 쉬는 게 걱정될 만큼 딱 달라붙은 원피스를 입은 여자가 지나가자 섹시해 보인다며 눈을 떼지 못한다.

사실 마른 것과 날씬한 것은 단 몇 킬로그램 차이다. 천박함과 섹시함을 가르는 것은 기껏해야 몇 센티, 한 두 겹에 불과하다. 그 작은 차이가 인상을 좌우하고 생각을 바꾸게 만든다. 마른 것보단 날씬한 게 좋고, 풍풍한 것보다야 통통한 게 낫겠지. 대놓고 야한 것 보다야 상상의 여지를 남겨줘야 섹시하게 느껴질 테고 그런 여자를 누군들 마다하리.

모두가 멋지고 아름다우면 얼마나 좋겠나. 그러나 설령 그렇지 않은 사람이 있다 해도 그게 무슨 상관인가. 아름다워 지고 싶어 하는 것도, 아름다운 것도, 아름다움에 그다지 관심이 없는 사람도 다 자기 몫이다. 남이야 어떻게 생겨 먹든지 말았든지 간에 아무렇게나 말을 뱉고 있는 그 입들을 한 대 때려주고 싶다고 생각했다.

말하는 사람은 듣는 사람을 배려해야 한다. 말이야 안 하면 그만이지만 일단 뱉고 나면 듣는 사람은 귀마개가 있어도 도무지 그 말을 듣지 않을 수가 없으니까. 입이 있다고 해서 하고 싶은 말을 다 할 절대적 권리가 있는 것도 아니고, 귀가 두 개 달렸다고 남이 하는 말 같지도 않은 말을 무조건 귀담아들어야 하는 것도 아니다.

고작 말 한마디로도 솔직한 사람과 무례한 사람이 나뉜다. 제발, 멀쩡한 사람을 말로 후벼 파 놓고 본인을 할 말은 할 줄 아는 솔직한 사람이라고 착각하지 말자.

2-14
멋에 대하여
〈☞Beyond the sea - Robbie Williams〉

패션 잡지는 분기 별로 유행할 스타일을 집어 준다. 잡지를 사랑하고 옷을 좋아해도 대부분의 일반인 중에 런 웨이의 스타일링을 그대로 시도할 사람은 없을 거다. 패션 위크에는 각종 하이패션 브랜드의 쇼 케이스 소식이 지면을 장식하고, 소개되는 옷이나 가방의 가격은 꼭 '미정'이다. 그러다 보니 일부는 패션 시장을 두고 '그들만의 리그'라며 비난하기도 하고, 패션 지 특유의 문체를 '보그 병신체'라고 비웃으며 깎아내리기도 한다.

나 자신을 아름답게 만드는 데 반드시 돈이 '많이' 드는 것은 아니다. 런 웨이가 유명한 호텔 쉐프가 만든 코스 요리라면, 패션지가 제안하는 스타일링은 인스턴트 라면 포장의 조리 예 같은 거다. 시도해 볼 만 하지 않은가. 당신이 남자라면 그저 깔끔한 옥스퍼드 셔츠에 적당한 청바지만으로도 충분하고, 여자라면 깔끔한 원피스 한 장으로도 예뻐 보일 수 있다. 또, 허리를 항상 곧게 펴고 상황에 어울리는 미소를 갖는 것이다. 가장 중요한 것은 '나는 멋진 사람이다.'라는 태도를 잃지 않는 것이다.

옷을 잘 입고 화장을 잘 하기 위해서는 연습이 중요하다. 입어보지 않고는 그 옷이 어울리는지 알 수 없고, 그 립스틱 색깔이 피부 톤과 맞을지는 발라보기 전까지는 알 수 없기 때문이다.

그렇다고 멋져 보이기 위해서 반드시 모든 종류의 옷을 색깔별로 가지고 있어야 하는 것은 또 아니다. 메이크업 베이스, 비비크림, 파운데이션, 컨실러, 파우더를 전부 다 가지고 있어야만 화장을 할 수 있는 것도 아니다. 다만 어울리는 것이 중요한지, 어울리지 않더라도 원하는 것이 좋은지는 본인의 선택이다.

사 놓고 어울리지 않아 쓰지 않는다면 어떤 면에서 그것은 실패한 소비가 아닌가. 그런 기회비용을 최소화하기 위해서는 시간을 써야 하는 것이 당연하다.

어쨌든 외면이든, 내면이든, 혹은 둘 다든, 가꾸는 사람이 가꾸지 않는 사람보다는 훨씬 아름답지 않겠는가. 시도조차 하지 않는 사람보다는 노력하고 있는 사람이 훨씬 멋지지 않은가.

한 시간의 외출을 위해서 세 시간을 치장하는 사람도 그 나름의 멋이 있는 삶이고, 새로 나온 책을 몇 시간이고 공들여 읽는 사람 또한 멋진 사람이다. 각자가 자신의 삶에 투자하는 방식이 다를 뿐, 그 시간에 대한 가치판단은 타인이 아닌 자기 자신이 하는 것이다. 라면에 치즈를 넣든 김치를 넣든 혹은 밥을 말든 모두 개인의 취향이니까.

마지막으로 기억해 둘 것은 자신의 노력에 겸손해 지는 것이다. 책 꽤나 읽었다고 남의 가방끈 길이를 운운하거나, 얼굴에서 광채 좀 난다고 다른 사람의 뾰루지를 지적하는 사람은 결코 매력적이지 않다.

2-15
가장 빨리 목적지에 도착하는 법

소풍을 가는 길은 아무리 설레도 멀게만 느껴지는 데, 이상하게 돌아가는 길은 그에 비해 훨씬 짧다. 운동할 때는 귀에 이어폰을 꽂고 신나는 음악을 들으며 그 외에는 아무 생각도 하지 않는 편이 시간이 더 빨리 간다. 그래서 나는 헬스장은 좋아하지만 러닝머신의 타이머에는 되도록 눈길을 주지 않으려고 한다. 고로 줄넘기를 하기 싫다면 당장 숫자를 세면된다. 경험상 대부분의 운동에 횟수는 별로 의미가 없다. 시간이 중요할 뿐. 그렇다고 그 시간이 어떻게 가는지 지켜보고 있자면, 원래의 시간보다 더 천천히 갈 것이다.

그러니 그럴 바에는 차라리 아무 생각 없이 가라. 런던에서 파리까지 가장 빨리 가는 방법은 사랑하는 사람과 함께 가는 것이라는 말도 있지 않나. 그 말에 대해서는, 아마 둘이 정신없이 싸우느라 시간 가는 줄 모르기 때문일 것이라는 게 나의 견해이지만.

2-16
가장 빨리 시간을 보내는 방법
⟨☞Three little birds - Bob Marley⟩

기다리고 있으면 주전자의 물은 끓지 않는다. 이별을 통보한 전 남자친구의 연락을 목이 빠지게 기다리고 있으면 아마 그런 모습을 비웃기라도 하듯 전화기는 며칠 동안이고 울리지 않을 것이다. 그렇게 시간이 지나 모든 걸 체념하고 운명처럼 다른 사람을 만날 무렵이면 새벽에 익숙한 번호로 술 냄새 풀풀 나는 문자가 한 통 와 있으리라.

"잘 지내?"라고.

모든 사람의 하루는 똑같이 24시 지만, 유달리 시간이 가지 않는 것처럼 무얼 해도 느껴지는 지루한 날에는 차라리 아무것도 하지 마라. 아무런 생각도 하지 않고 아무것도 하지 않고 멍하니 있는 편이 더 낫다. 바쁘게 지내고 무언가에 몰두할 의지조차 상실한 사람처럼 내내 소파에 누워 텔레비전을 멍하니 보고 있으면, 뭔가 본 기억도 없이 금세 개그 콘서트의 엔딩 테마 곡이 주말이 끝났다는 것을 알려줄 것이다.

2-17
스무 살의 립스틱
〈☞Empire state of mind — Alicia Keys〉

　이십 대 초반의 나는, 같이 립스틱을 골라주고 바닐라 라테를 즐겨 마시는 타입의 남자가 이상형이었다. 남자와 여자의 색깔 구별 능력은 흔히 다르게 묘사되기 때문에, 적어도 내가 화장품 매장에 서 비슷해 보이는 립스틱을 대여섯 번 지우고 다시 바르고 있더라도 패닉에 빠지지 않을 남자면 충분하다고 생각했다.

　카페에 가서 아메리카노를 자연스럽게 주문하는 남자는 사실 지천으로 널렸다. 당당하게 시럽은 빼고 주문한다는 데에 내 한정판 샤넬 립스틱을 건다. 이게 다 그놈의 '십 센치' 때문이다. 한 모금 마시고 남길 거면 차라리 시럽을 넣지. 입은 쓰고 속은 타는 사람 절반, 처음엔 억지로 마시다가 어느덧 익숙해져서 무감각해진 사람 반. 물론 정말로 좋아서 마시는 사람도 있겠지만 내가 발이 좁아 아직 그런 남자는 만나보지 못했다. 남자끼리 모일 때 피시방에 가는 빈도와 여자끼리 카페에 가는 빈도는 아마 거의 일치할 것이다.
　그래서 나는 피시방에 가서 당당하게 런쳐를 깔고 스타크래프트를 즐기는 여자라는 사실이 하나의 무기였다. 나 같은 여자도 있으니 나 같은 남자도 있으리라 생각했다. 내가 게임에 익숙한 만큼이라도 스타벅스의 메뉴판에 익숙한 남자를 만나고 싶었다. 많은 남자가 여자친구 손에 이끌려 생애 처음 아메리카노를 마실 텐데, 연애 경험이 많은 남자는 또 싫었던 것을 생각해보면 참 바보 같은 생각이었다.

어쨌든 그런 남자를 만나기는 만났다. 그리고 이상형이라는 것은 그저 이상에 불과하다는 것을 깨달았다. 많은 립스틱을 그와 함께 골랐고, 그중 상당수가 여전히 내 화장대 위에 놓여 있다. 립스틱의 사용 기한은 대개 2년이고, 그것들의 사용 기한이 채 지나기도 전에 나에 대한 그의 감정은 이미 끝나버렸다. 그렇다고 립스틱을 바를 때마다 그가 생각났다면 그것들을 진작 모두 버렸을 것이지만.

잘 차려입은 여자가 맨 입술로 앉아 있는 것은 까슬하게 난 수염을 면도하지 않은 남자만큼이나 무성의해 보인다. 그러니 커플링은 버릴지언정 전 남자친구가 사준 립스틱은 버릴 필요가 없다.

2-18
뻔한 나와 뻔뻔한 너

주변 사람을 살뜰히 챙기는 사람이 좋은 사람이라고 생각했던 때가 있었다. 그런 모습이 좋아 보였고 당연히 그래야 한다고 생각했다. 그리고 나이를 먹어가면서 그렇게 사는 것이 얼마나 피곤한지를 깨닫는 중이다. 돈이든 시간이든 정성이든 누가 좀 더 쓰면 어떤가. 내가 쓸 수 있으면 내가 쓰고, 네가 쓸 수 있을 때는 네가 쓰는 거라고 편하게 생각하며 살았는데 사람 사는 게 다 같은 마음이 아니니 의도치 않게 속이 상할 때가 종종 생기는 것이다.

내가 좋아 신경을 쓰고 주었어도 사람 마음이란 것이 막연한 기대가 생긴다. 저 사람도 그만큼 나를 신경 써주었으면 하고 내심 바라게 된다. 상대가 고마운 마음만 표시해줘도 그걸로 충분한 데, 개중에는 점점 당연해져 버리기도 해서 그게 상처가 된다. "그러게 누가 해달라고 했어?"라는 흉터를 남긴다.

내가 주었으니 상대도 나에게 무엇을 주겠거니 하는 것. 주거니 받거니 하는 기브 앤 테이크의 공식은 너무나 뻔하다. 해줬으니 상대도 그만큼 해주길 바라는 사람은 치사하다. 그런 사람이 되지 말아야지 하고 맘먹어도 결국에 나도 그저 그런 사람에 불과했다.

그러나 뭘 해 준 것도 없이 받기만 해 놓고, 당연히 무턱대고 무엇인가를 바라기만 하는 것은 얼마나 뻔뻔한가. 준 것 없이 바라기만 하는 사람은 염치가 없다. 남에게 고맙다는 말을 들을만한 일을 하지 않으니, 받아도 고마워할 줄도 모르는 걸까.

안쓰럽다. 뻔한 사람도, 뻔뻔한 사람도 되지 말자.

2-19
3초

사람의 첫인상은 3초 안에 결정된다. 그 사람이 누군지도 어떤 사람인지도 모르지만, 일단 머리부터 발끝까지 훑는 데는 3초면 충분하다. 다르게 말하면 우리는 알지도 못하는 사람들을 3초마다 한 명씩 그들의 외모만을 보고 판단하고 있다. 그런데도 외모 지상주의가 이 땅을 지배하지 않는다면 오히려 그게 이상하지 않겠는가.

많은 사람이 외모지상주의에 신물 나 하면서 동시에 더 나은, 근사한 외모를 갖고 싶어 한다. 번화한 거리거리마다 성형외과 광고가 만연하고, 유래 없는 불황이래도 화장품 회사들은 승승장구한다. 어떤 여자들은 예뻐질 수 있다면 목숨까지 걸고, 어떤 남자는 키를 몇 센티미터 더 키워보겠다고 기꺼이 무릎에 철심을 박는다.

사회는 정반합의 굴레를 따라 흘러가고 물론 이런 전시대적 대류를 거스르는 사람들도 있다. 그들은 옷차림이나 몸매를 비롯한 외모의 어떤 것에도 신경 쓰지 않는다. 아무 선택도 하지 않는 것 역시 선택이듯이 그것도 한 가지 방식이다.

내가 지적하고 싶은 것은, 그들 중에서도, 남는 에너지를 남들의 외모나 스타일을 평가하는 데 소모하는 사람들이다. 평균 체중의 멀쩡한 사람에게 살이 찐 것 같다며 군소리를 하거나, 정장 구두에 흰색 양말을 신어 놓고 여직원의 화장이 영 별로네 어쨌네 하는 직장상사는 그 어디에나 있다.

그런 사람들은 본인의 귀중한 3초를 남에게 삿대질하는 데 쓰면서 왜 거울을 볼 생각은 하지 않는 걸까. 친절한 금자 씨의 입을 빌려, "너나 잘 하세요"라고 말해주고 싶다.

2-20
어려운 여자
〈☞Beneath your beautiful - Passenger〉

여전히 여자는 어렵다. 나 자신도 이토록 어려운데, 타인으로 마주하는 여자는 더 어렵다. 그러니 그들 틈바구니에 끼어 살아간다는 것은 오죽할까. 자기를 뺀 모든 여자를 적으로 돌리는 여자만큼 무서운 존재는 없다. 의미 없이 던진 한마디 말조차. 무슨 의미로 받아들일지 예측할 수가 없다. 도무지.

가끔 나는 회색 성별을 가진 사람인가 싶다. 사람이 너무나도 어렵게 느껴지고, 사소하고 세세한 것들을 돌이켜서 생각하게 하는 사람들이 질린다. 이렇게 지겨운 사람들에 질려서 지겹도록 내 감정을 소모하게 하는 이들이 싫다. 나라는 인간이 안전하다고 느끼는 타인과의 거리는 너무나도 분명한데, 그것을 무시하고 넘어와서는 나와 가까운 척, 나를 잘 아는 척하는 사람들을 이해할 수 없다. 〈이 선을 넘지 마시오〉라고 써서 크게 붙여 놔야 하는 건가.

나는 내가 대단한 무엇이라고 생각한 적도 없고, 무엇이 되고 싶은 것도 아니었다. 나는 타인에게 그냥 그런 사람, 괜찮은 사람, 적당한 사람이면 된다. 내가 그저 그렇게 생각하는 사람들 역시 그냥 그렇게 그 자리에 머물러 주었으면 좋겠다. 내가 그렇게 살도록 내버려 뒀으면 좋겠다. 차라리 모르는 사람이면 좋겠다. 원하지 않는데 가까이 다가오려고 하지 않았으면 좋겠다. 나서서 선을 긋게 하지 않았으면 좋겠다.

제발, 제발 좀. 너는 너대로 나는 너대로 살자.

2-21
비키니와 브래지어는 무엇이 어떻게 다른가

여자들이 속옷 차림은 부끄러워하면서 비키니를 입고는 왜 당당할 수 있는가 묻는다면, 나는 주저 없이 이렇게 대답해 줄 것이다. 고무줄 늘어난 속옷이 남몰래 쓰는 비밀 일기 같은 거라면 살 때부터 커다란 뽕이 기본으로 내장된 비키니는 SNS의 타임라인 같은 것이라고.

같은 글이라도 어디다 어떻게 쓰느냐에 따라 다르듯이, 비슷해 보이는 천 조각이라도 감추기 위해 입는 것과 드러내기 위해 입는 것은 다르다. 보여줄 수 없는 이야기와 보이기 위해서 쓰는 이야기는 다르고 아마도 실제 본인의 신체 사이즈와 헌팅을 위한 바캉스 비키니 사이즈는 당연히 다르지 않겠는가. 속옷만 입고 해변을 활보할 수 없고, 일상복 안에 비키니를 받쳐 입는 사람이 없듯이, 우리는 때와 상황에 맞춰 그때그때 적당한 자신을 드러내 보이는 것이다.

저마다 아름다워 보이는 적당한 거리가 있다. 너무 가까이에서 보아도, 그렇다고 또 너무 멀리서 보아도 그 사람을 제대로 알기 어렵다.

2-22
자존감을 파먹는 여우곰
〈☞Work bitch - Britney Spears〉

맨 처음 곰 같은 여자보다 여우가 낫다는 말을 한 사람에게 돌을 던지자. 이 말은 곰 같은 대접을 받고 살기엔 도무지 성에 차지 않는 욕심 많은 곰들이 여우가 되겠다고 몸부림치도록 만드는 대참사를 낳았다. 흔히 곰인 척하는 여우들이 남자들에게 차별적으로 매력을 어필하려 노력한다면, 여우가 되려고 하는 곰들은 주변 여자들의 자존심이 주 먹이이기 때문에 그녀들에게 무차별적인 공격을 가한다.

당신이 썸 녀나 여자 친구를 동네에서 만났는데 대놓고 맨 얼굴이라고 어필하는 경우, 대부분은 눈썹화장과 BB크림은 자신의 얼굴로 치겠다는 말이 생략되어 있다. 카메라

어플 특수효과로 얼굴을 갸름하게 만드느라 주변 배경이 다 휘어졌는데도, 꿋꿋이 그 사진을 프로필로 해 놓는 것은 차라리 귀엽다. 뭣 모르고 어떤 둔한 남자가 여기에 예쁘다는 댓글이라도 달아 놓는다면, 얄미운 다른 친구는 역시 브이라인이라고 호들갑 떠는 댓글을 달 것이고, 또는 뭘로 찍었길래 이렇게 나오는지 대놓고 물을 것이다.

남자들 사이에서 괜히 여자에게 소개팅을 받지 말라는 말이 나오는 게 아니다. 여자들이 예쁘다고 말하는 주변 친구가 예쁘지 않을 확률이나 남자들이 남자답다고 말하는 남자가 사실은 마초 기질에 심취한 남자일 확률이 도토리 키 재기라고 하더라도.

대부분의 여자 사이에서 정말 인색하면서도, 다른 의미로 넘치는 것이 서로에 대한 칭찬이다. 일부는 일부러 과한 칭찬으로 상대를 부담스럽게 만들기도 한다. 그런 부류에서 칭찬을 듣고 나면 꼭 갑절로 되돌려 줘야 할 것 같은 기분이 들게 한다. 이쯤 되면 사실 남에게 좋은 소리를 듣고 싶어 일부러 마음 없이 하는 소리처럼 들린다.

남을 깎아내려 자신을 돋보이게 하려는 여자가 있다면 나쁘다고 욕하지 말고 측은하게 여겨라. 자신의 콧대를 높이겠다고 남의 자존감을 보형물 삼는 것은 남에게 칭찬이 듣고 싶어서 먼저 남을 칭찬하는 것보다 안쓰럽지 않은가.

2-23
원래 그런 건 원래 없어

〈☞I'm not the only one - Sam Smith〉

나는 무심한 사람들이 싫다. 일종의 '쿨 병'에 걸려 자신의 무관심을 그럴듯하게 포장해내는 사람들이 싫다. 이와 비슷한 맥락으로, "난 원래 그런 사람이야"라는 자기합리화에 능수능란한 사람도 싫어한다. 권태기를 겪고 있는 연인에게서 "우리 얘기 좀 해"라는 말로 시작한 대화에 질려버린 어느 한쪽이 외치는 최후의 자기변명처럼 들린다. 그리고 그 말 뒤에는 '그런데 뭘 어쩌라고?' 라는 구린 속내가 숨겨져 있다.

이것은 사람 자체를 불변하는 것으로 고정해 놓고 그 무엇도 변하지 않고 그대로일 것임을 함축하는 표현이며, 그러니 이 상황에 대해서 '원래 그런 사람' 인 나는 아무런 책임이 없다고 발을 뒤로 빼는 비겁한 변명에 지나지 않는다. 내가 저 말을 끔찍하게 싫어하는 이유도 바로 저 비겁함이 소름 끼치게 싫기 때문이다. 흡사 같이 무언가를 망쳐 놓고서 영문을 모르겠다는 얼굴로 어깨를 으쓱거리고는 "난 아무것도 안 했는데?" 라며 천연덕스럽게 돌아보는, 저 나쁜 놈.

다시 한 번 말하지만, 원래 그런 건 세상에 원래 없다.

3

촌스럽게 사랑하기

스타일에만 유행이 있는 줄 알았더니,
요즘엔 사랑하는 방식에도 유행이 있더라.
잡지를 즐겨 읽고 페이스 북도 열심히 하지만
내가 누군가를 사랑하는 방식은
그런 유행에 한참 뒤쳐져 있는 터라,
누군가의 '썸녀'가 되기엔
난 이미 한참 글러 먹었다.

〈☞Lost stars - Keira Knightley〉

평범한 모든 것들은 특별하고, 특별한 모든 것들은 사실은 평범하
다. 존재의 크기는 지극히 상대적이다. 상대적인 우주에서 절대적인
사랑이란, 단지 그것이 존재하는 그 순간에만 가능할 수 있을 뿐이
다. 중요하게 생각했던 어떤 무엇인가가 어느 순간부터 더 이상 중요
하지 않게 되어버린다. 중요하지 않았던 것들도 어느새 중요해진다.

누군가와 사랑에 빠지는 순간, 나의 궤도가 상대방의 중력에 끌려 무너져 내리기 시작한다. 어떤 이를 너무 사랑해서 마음에 그를 가득 담아두면, 어느새 나는 사라져버리고 나라는 존재 또한 한없이 가벼워지고 만다. 그리고 나를 가득 채운 이가 썰물처럼 빠져나가고 난 뒤에는 아무것도 남지 않는다. 멈출 것만 같던 시간은 나만 그대로 내버려 둔 채 한참 저 만치 앞서 가버린다.

그렇게 사랑을 얻었고, 나를 잃었다.

3-1
괜찮음 연습

다른 사람에게 상처 주는 만큼 언젠가는 돌려받는다는 말은, 그럼 상처 받은 만큼 다른 사람에게 돌려줘도 된다는 말일까. 또는 어떤 되먹지 못한 인간이 아무렇게나 막 뱉은 말이라도 듣는 사람이 아무렇지 않으면 상관없는 걸까?

정말 아무것도 아닌 일로도 무너지고 견뎌내면서 버티는 법을 배우지 못한 사람은 언제 까지고 자신이 만든 상처의 벽 안에서 자신을 가두며 살리라.

모두가 똑같이 아프지도, 똑같이 괜찮을 수는 없다. 결국에 모든 건 생각하기 나름일 수 밖에 없다. 모두에게는 한 번 씩 좋았던 시절이 있었을 거고, 지금도 좋은 시절을 보내는 사람이 있는 반면 그렇지 못한 사람도 분명 있을테다.

누구의 잘못이 아니다. 내가 괜찮지 않은 것도 못나서 그런 것이 아니고, 다른 사람이 괜찮은 것도 잘나서 그런 것은 아니다. 몸의 근육도 오랜 시간 운동으로 키워 나가듯이 괜찮아지는 것 역시 조금씩 연습해 나가는 것일 뿐.

3-2
어렵고 뜨겁게 사랑하다

〈☞How long will I love you
- Jon Boden, Ben Coleman & Sam Sweeney〉

어떤 사람을 사랑하게 되면, 하루에도 수십 번 감정이 천국과 지옥을 넘나든다. 흡사 널뛰기 같기도 하고, 바이킹 혹은 롤러코스터를 타는 것 같기도 하다. 당신이 사랑하고 있는 사람의 기분은 그 날 아침 지각을 했는지 하지 않았는지, 혹은 성적이 좋은지 아닌지 보다는 당신과 나눈 대화나 당신의 감정 상태에 따라 좌지우지 될 것이다.

누군가를 깊게 사랑하다 힘들게 헤어진 사람이라면, 아무래도 다음 사랑에 방어적인 자세를 취하기 마련이다. 줄 없이 추락하지 않으려고 이번엔 줄을 단단히 붙들고 있자고, 함부로 사랑이란 구덩이에 뛰어들지 말자고 자기 마음을 붙잡고 있을 거다.

그러나 사랑하되 아픔을 겪고 싶지 않다는 것은 얼마나 이기적인 태도인가. 잘 다듬어진 다이아몬드가 원석 보다 가치가 있는 이유는 그것이 제 살이 깎여 나가는 아픔을 견뎌냈기 때문인 것을. 내 자신을 다 버리면서 사랑하라는 뜻이 아니다. 사랑하는데, 조금 다쳐도 괜찮다 혹은 내가 조금 더 손해 봐도 괜찮다 그렇게 생각하는 일이 언제부터 미련한 것이 되었는가.

그런 마음으로 사랑하지 않는다면 누가 당신에게 다가 오든 그 결과는 마찬가지다. 상처 받아 본 자들은 언제나 자신만 아프고 힘들다고 생각하지만, 온몸으로 비를 맞지 않고 피어난 꽃은 세상 그 어디에도 없다. 그리고 언젠가 당신이라는 꽃은, 분명 그 누구도 본 적 없을 만큼 아름답게 피어나리라.

3-3
요즘 여자의 연애

관심 있는 남자를 두고서 어떻게 하면 여우처럼 굴 수 있을지를 고민하고 있는 여자는 이미 여우같은 여자가 되기는 틀렸다. 그녀는 십중팔구 친구들에게 카카오 톡 그룹 채팅으로 SOS를 보냈으리라.
"이 남자, 왜 나한테 먼저 연락하지 않는 걸까?"

아이고, 이 여자야. 그럴 시간에 차라리 당신이 먼저 말해라. "뭐하고 있어요?"든, "밥 먹었어요?"든 그 어떤 말이라도 먼저 보내는 편이 백번 낫다. 자로 재고 국자로 간을 보는 동안에 이미 그 남자의 마음이 떠날지 모른다. 어쩌면 그런 고민을 할 시간을 준다는 것 자체가, 그 남자는 당신에게 절실하게 매달리지 않고 있다는 증거나 다름없다. 그 쪽에서 먼저 연락이 없는 게 아쉬우면, 그 아쉬움을 밑천 삼아 솔직해지는 편이 차라리 귀여워 보이기라도 하지.

때를 놓치고 뒤늦게 잡으려 해본 들 운이 좋아야 그의 소매나 붙잡고 늘어질 수 있을 것이다. 정 그렇게 여우같은 여자가 되고 싶거든 애초에 관심을 갖고 애정을 표현하는 것에 대해 순서를 따지거나 그 정도의 차이 또는 다름을 가지고 따지지 말라.
숨 쉬는 것을 의식하지 않듯, 호감을 얻기 위해 소위 못된 여자처럼 행동해야 한다는 강박관념을 벗어 던져라. 상대가 남자라는 점을 인질 삼는 것은 소위 나쁜 여자가 아니라 못난 여자에 불과하다.

3-4
그와 그녀의 이야기
⟨☞Quelgu'un ma'dit - Carla Bruni⟩

처음부터 그 탑이 높았던 것은 아니었다. 그렇지만 누구도 탑의 높이에 대해서 생각해 보거나 그곳에 사는 사람에 대해 궁금해 하지 않았다. 탑에는 여자가 살았다. 호기심 많은 한 남자가 지나가다 그 탑을 보았다. 남자는 궁금했다.

"거기 누가 있나요?"
남자가 조그맣게 소리쳤다. 그때 여자는 탑 안에서 머리카락을 손질하고 있었다. 여자는 밖을 내다볼 창문이 있다는 것을 그제야 알았다. 위를 올려다보고 있는 남자가 보였다. 그는 날마다 탑 아래에 왔다. 여자가 사는 탑 안이 궁금했다.

"나도 그 위에 올라가게 해줘요"
그는 크게 소리쳤다. 그렇지만 여자는 방법을 알지 못했다. 그녀는 태어나서 단 한 번도 탑을 벗어난 적이 없었다. 한참을 생각하던 그는 도끼를 가져왔다. 그리고 탑의 벽돌을 내리쳐 홈을 만들어가며 기어오르기 시작했다. 남자는 여자에게 묻지도 않았고 또 허락을 받지도 않았지만, 사실 그녀도 그의 그런 행동이 싫지는 않았다.

처음에 여자는 남자가 난쟁이라고 생각했다. 그러나 그와 처음 마주 섰을 때, 그녀는 자신이 사는 탑이 얼마나 높은지를 짐작할 수 있게 되었다.

둘은 싱그러운 들판에 관해서도 이야기하고, 많은 별을 보기도 했다. 그와 그녀는 행복했고, 남자는 늘 자신이 살던 탑 아래에 있는 세상의 것들에 대해 매우 즐겁게 이야기했다. 수많은 해와 달이 지나 갔다. 언제부터인가 그가 말없이 탑 아래를 내려다보는 시간이 점점 길어졌다. 탑 아래의 세상에는 꽃도 있고 들판도 있고 나무도 있었지만, 탑 안의 세상에는 오로지 그녀뿐이었다. 그래서 그는 용기를 냈다.

"나랑 같이 아래로 내려가자"

여자는 고개를 가로 저었다. 그래도 그는 몇 번이고 같은 말을 되풀이했다. 여자는 바깥세상을 알지 못했다. 그녀는 태어나서 단 한 번도 탑을 벗어난 적이 없었다. 한참을 생각하던 남자는 뒤도 돌아보지 않고 탑을 떠났다. 아주 예전 도끼로 만들었던 홈을 되짚어 혼자 내려가 버렸다.

남자는 그녀가 자신과 함께 탑을 떠나기를 바랐지만, 그녀는 지금껏 살아왔던 탑을 버릴 만큼 자신을 믿지 못한다고 생각했다. 사실 그녀는 진지하게 생각할 시간이 필요했을 뿐이었다. 이전까지 여자는 남자가 떠날 거라고 생각해 본 일이 없었다. 혼자 남은 여자는 겨울이 온 들판을 생각하고, 온통 검은 하늘을 보았다. 그러다가 문득 생각했다.

"나도 내려가겠어"

그렇지만 여자는 바깥세상을 알지 못했다. 그녀는 태어나서 단 한 번도 탑을 벗어난 적이 없었다. 그녀는 내내 남자가 거짓말쟁이라고 생각했다. 아래의 세상과 처음 마주 섰을 때, 그녀는 자신의 탑이 얼마나 엉망이 되고 말았는지 알게 되었다.

그 때 남자는 우연히 근처를 지나다 서있는 여자를 보았다. 여태껏 그녀가 세상에서 가장 아름답다고 생각했던 그는 비로소 깨달았다.

그녀가 신비롭고 아름답게 보였던 이유는 단지 들여다 볼 수 없는 높은 탑에 살고 있었기 때문이었다는 것을 그제야 알았다.

"나랑 같이 위로 올라가자"
남자는 고개를 저었다. 여자는 몇 번 이고 같은 말을 되풀이했다. 그렇지만 남자는 바깥세상의 행복에 대해서 너무 많이 알고 있었다. 그녀는 할 수 없이 그를 뒤로하고 탑으로 올라가야 했다.

"더 높은 탑을 지을 거야. 흠집이 나지 않는 더 튼튼한 벽돌로."

처음부터 그 탑이 높았던 것은 아니었다. 그렇지만 누구도 탑의 높이에 대해서 생각해 보거나 그곳에 사는 사람에 대해 궁금해 하지 않았다.

3-5
특별한 순간에 필요한

하늘 아래 같은 색은 없으니, 찐-한 레드 립스틱이라 하더라도 나스의 드래곤 걸과 아르마니 립마에 400번과 샤넬의 깜봉 레드, 그리고 입 생 로랑의 9번은 다 같은 색깔이 아니다. 각각이 저마다의 명도와 채도, 다른 스타일을 가지고 있다.

그러니 날마다 똑같아 보이는 여자 친구의 입술은 아무런 죄가 없다. 어쩌면 '도대체 뭐가 다른 거야!'라고 당장 소리치고 싶을지 모르지만, 그 비명은 속으로만 외치는 것이 서로에게 이로울 것이다.

어차피 그녀는 그저 당신에게 아름다워 보이고 싶어 하는 것일 뿐인데.

남자들이 거울 앞에서 열심히 왁스를 바르는 것만큼, 여자들은 립스틱을 공들여 바른다. 만일 여자 친구에게 립스틱 선물을 하려거든, 차라리 데리고 가서 직접 고르게 하라. 잘 모르더라도 상대방이 좋아하는 것에 관심을 표현하는 방법을 안다면 그 얼마나 섹시한 마음을 가진 남자인가!

나는 레드 립스틱을 사랑한다. 그것은 섹시하고 유혹적이며, 때로는 아찔하고, 심지어 청순하다. 모든 레드 립스틱은 여자를 특별하게 만드는 마법이다. 모든 남자는 그것을 존중할 필요가 있다.

3-6
사랑에 빠진 딸기
〈☞Ca Ira - Joyce Jonathan〉

나는 네가 참 좋다. 좋아하는 것에 관해 이야기 할 때의 빛나는 눈이 좋고, 머리카락을 쓸어 넘길 때의 손짓이나, 멋쩍은 웃음도 좋다. 무언가를 잃어버렸다고 속상해하는 내 모습을 보면서 '그게 얼마짜리길래?'라고 묻는 대신에,

"그거 많이 아끼던 거 아냐?"
하고 걱정해 주는, 그 마음 씀씀이가 좋다.

딸기를 좋아한다고 했던 말 한마디를 잊지 않고선, 샐러드에 든 딸기는 전부 내 쪽으로 밀어 놓고, 하다못해 껌 한 통을 고를 때도 꼭 '딸기 맛'을 고르는 네가 참 좋다. 함께 있으면 자기가 더 자라는 것 같다는, 그래서 나를 더 소중하게 생각할 수밖에 없다는.

나는 그 사람이 좋다. 그리고 그 사람이 바로 당신이라서, 더 좋다.

3-7
내 기억의 서랍

(1)

해묵은 책 위의 먼지를 털어 내듯이 기억의 서랍을 정리하는 일은 참으로 중요하다. 기억의 서랍은 책상의 그것과 하나도 다르지 않다. 자주 꺼내어 쓰는 물건 혹은 중요한 물건이 맨 위의 칸에 있을 것이다. 그렇지만 정리하지 않고 쓰다 보면 온갖 잡다한 것들이 뒤섞이기 쉬운 것이다.

공부하기 싫은 날에는, 자리에 넣어 둔 지 너무 오래되어 까맣게 잊어버린 온갖 잡다한 것들조차 왠지 모조리 꺼내어 차곡차곡 정리해야 할 것만 같다. 그러니까 이유 없이 잠이 오지 않는 그런 밤엔, 이때다 하고 기억의 서랍에 쌓인 해묵은 먼지도 털어내야 한다.
자꾸 생각나고 가까이 두고 싶은 기억을 맨 위 칸에, 그새 까먹은 수학 공식은 쓸 일이 별로 없을 것 같으니 좀 더 아래에 두고, 아쉽더라도 더는 쓸모가 없어져 버린 지나간 사람들에 대한 기억들은 추억이라는 맨 아래 칸에 켜켜이 개 놓고.

그렇게 정리하다 보면 어느새 서랍이 가득 차 넘친다. 억지로 밀어넣고 꾸역꾸역 닫는다. 언젠가 다시 서랍을 정리할 때 즈음엔, 아무리 전에 없이 서러웠던 기억이라도, 조금은 그 슬픔이 닳아져 있으리라.

(2)

아무 의미 없이 아주 오래된 기억들이 있다. 나로 예를 들면, 여섯 살 때 어느 저녁에 아빠가 사 온 과자를 언니 몰래 먹으려고 서랍장에 숨겨 둔 적이 있다. 그런데 자고 일어나서 보니 사라져 있었다. 그 과자가 꿈속의 것이었는지 아니면 언니의 뱃속으로 들어가 버렸는지는 아직도 미스터리로 남아있다. 특히 언니랑 싸웠던 기억은 생생하게 떠올릴 수 있을 만큼 오래 남아있다. 후프를 돌리다가 언니 눈을 찌른 기억, 엄마가 다 쓴 향수병에 물을 담아서 놀다가 실수로 장독을 깨고 종일 조마조마했던 것. 열 살 즈음에 엄마와 장을 보고 집에 가는 길에, 풀린 신발 끈을 묶느라 정신이 팔려 지나가던 어떤 아주머니를 엄마로 오해하고는 손잡고 가려던 기억.

순간순간은 참 짧고, 오래된 기억이 반드시 먼저 지워진다는 법은 없다. 모든 것을 기억할 수는 없고 또 항상 좋은 기억만 남아있는 것도 아니다. 기억하려면 잊지 않으려고 애써야 한다고 생각해 왔는데 막상 그렇지 않다.

저런 사소한 것들은 아무런 노력 없이도 남아있는데, 꼭 기억하고 싶은 것들은 쥐려고 하면 할수록 지워져 버리는 이유는 무엇인가.

3-8
뒷 이야기

⟨☞C'mon through - Lasse Lindh⟩

벌써 며칠째 아무런 연락이 없었다. 어두운 방 안에서 이불을 뒤집
어쓰고 있느라, 낮인지 밤인지도 알 수 없었지만 적어도 그 날 새벽
에 당신이 했던 그 말이 진심이라는 건 알고 있었다. 목이 마르기에
물을 한 잔 먹으려고 몸을 일으켰는데 며칠을 누워있기만 해서 그런
지 천근만근 무겁게 느껴졌다.

언제 쪘는지 껍질이 바싹 말라버린 고구마가, 한 바구니 가득 식탁
에 놓여있었다. 그 팍팍한 거. 물컹거리고 샛노란 거 말고. 우리 집에
선 나 빼고 퍽퍽한 고구마 좋아하는 사람이 없는데. 그래서 한 개 집
어 들고 우걱우걱 먹었다. 다 말라 비틀어졌는데, 이상하게 참 맛있
게 느껴졌다. 왠지 목이 메어왔다.
그동안 정말로 아무렇지 않았었는데. 이렇게 엉망진창으로 끝이라
는 것을 깨닫는 동안에도 생각보다 슬프게 느껴지지 않아서, 그래서
눈물도 안나나 보다 생각했었는데. 근데 그까짓 고구마가 뭐라고 날
울게 하는지. 결국, 입 안에 고구마를 잔뜩 넣은 채로 펑펑 울고 말
았다.

내가 어떤 음식을 좋아하는지, 시간이 날 땐 무슨 일을 하는지, 나
를 어떻게 생각하는지. 나라는 사람에 대해서 아무것도 제대로 알지
못해도 좋아할 수 있을까? 이유 없이 좋아할 수 있다는 것은 거꾸로
하면 아무런 이유 없이 싫을 수도 있단 말이니까.

누군가와 헤어지는 것은 어쩌면 한순간인데, 내가 사랑했던 순간들
과 헤어지는 것이 왜 이렇게 어려운 건지.

3-9
촌스럽게 사랑하기
〈☞Way back into love - Hugh Grant & Haley Bennett〉

마음이 따뜻한 이와 함께라면 한 잔에 300원 하는 자판기 커피도 호텔 라운지에서 마시는 커피만큼이나 근사하다. 그런 사람과는 점심 때 짜장면을 입가에 다 묻히고 먹어도 서로 놀리며 깔깔대고 웃을 것 같다.

입고 나온 옷이 조금 안 어울리면 어떤가. 그도, 나처럼 거울 앞에서 무엇을 입을지 한참 생각했을지 모르는데. 오는 길 내내 차창에 모습을 비춰보며 이 정도면 괜찮다, 그렇게 생각하고 꾸민 모습일걸.

설령 그러지 않아도 나쁠 거 없잖아. 빨간 에나멜 구두에 보라색 스타킹을 신고도 소풍만 잘 갔다 오던 때도 있었는데. 지금 보면 촌스러워서 웃겨 죽겠지만. 그래도 그때 모습 그대로 예쁜 추억으로 잘 남아있으니.

시간이 지나고 난 뒤에 모든 것의 색이 흐려져도, 그때 그 마음은 그대로 남는 거니까- 그래서 나는 좀 더 촌스러워지기로 굳은 맘을 먹었다. 나처럼 촌스러운 어떤 사람과 만나, 촌스러운, 그러나 그만큼 아름다운 사랑을 할 테다.

3-10
마시멜로우 내 마음

조금 더 담담한 마음을 갖고 싶다. 툭 건드리면, 금방이라도 눈물을 가득 쏟아낼 것만 같은 나의 그런 슬픈 눈이 싫다. 또, 그게 싫어서, 억지로 웃으려고 한껏 올린 입 꼬리는 더 싫다.

"너는 지나치게 자기감정에 솔직해. 때로는 그걸 감추는 법도 필요한 법이다. 다른 사람들에게 네 기분이 어떤지 반드시 그렇게 알려줄 필요는 없는 거야."

이 세상에서 나를 잘 아는 엄마는 그렇게 말했다. 몰라서 그러는 건 아닌데. 나는 세상을 조금 더 말랑말랑하게 살고 싶을 뿐인데. 단단하면 부러지고, 뜨거우면 손이 데고, 날카로우면 피를 본다.
나는 나 아닌 그 누구에게도 상처받는 것도 또 상처를 주는 것도 싫다. 그저 말랑말랑, 그런 사람이 되고 싶다.

3-11
옛 사람 주의보
〈☞Give me love - Ed Sheeran〉

정말 우연하게 마주쳤다. 사실 예전에도 그때 그 사람은 잘 지내나 궁금했던 적은 있었다. 아주 가끔. 본 지 오래된 친구의 소식이 궁금한 것처럼 문득 생각날 때 주변을 둘러봤던 적이 있긴 했다. 그러다 그렇게 잊었는데, 생각도 안 날 만큼 잊고 지냈는데, 나는 예고 없이 소나기를 만난 기분이 들었다. 부러진 비닐우산조차 없이.

이상하리만치 속이 시원했다. 마음이 개운했다. 나도 모르게 내 마음이 철렁 내려앉아 버릴까 봐, 차라리 다시 마주치지 않기를 바랐다고 생각했었는데. 차라리 이렇게 기대하지 않던 순간에, 생각지도 못했던 때에 마주치게 되어서 참 다행이라고 생각했다.

생각만큼 세상은 넓지 않았다. 어떻게든 다시 마주치는 걸 보니 오히려 가끔은 정말 좁은 것 같기도 하다. 그러다 이 내 마음 까지 좁아져 버리면 어쩌나 걱정이 될 만큼.

3-12
쉬운 사랑의 시간

소유는 언제나 그 대가를 요구한다. 그럼에도 불구하고, 버리기로 마음먹는 것은 언제나 어렵다. 사랑이라는 것은, 인간이 가질 수 있는 가장 이기적이면서 동시에 이타적인 감정이다.

나는 언제나 시간이 중요하다고 생각했다. 누군가를 사랑하는 것도, 또는 누군가를 잊어가는 것에도. 그리고 쉽게 사랑하고 싶었다. 꼭 뭔가를 희생해야 한다거나, 아니면 서로 완전하게 빠져 있다든가, 생채기를 내어가며 맞추어 가지 않는다 해도. 그냥, 그냥. 오늘따라 더 반갑게 인사해서, 내가 웃는 모습이 예쁘다 말해줘서, 때로는 먼저 다가와서 같은, 남들이 보기엔 시시한 이유라도 좋으니 누군가를 사랑하고 사랑받고 싶었다. 서로 완전히 빠져들지 않았다고 하더라도.

나는 내 인생에서 많이 사랑하고 사랑받은 사람으로 남고 싶기 때문에.

사실 내가 모두를 사랑할 수 없는 것처럼 모두가 나를 사랑할 수는 없다. 나를 사랑하는 사람이라도 내가 사랑하지 않을 수 있는 것처럼, 내가 사랑하는 이가 나를 사랑하지 않을 수 있다. 사랑하는 누군가의 마음이 나와 같지 않을 수 있음을 알고 나서야, 비로소 사람 마음이란 마음대로 되는 것이 아님을 알게 되었다.

내 마음을 비워내고 다른 사람을 담는 것이 갈수록 어려워지고 겁이 난다. 차라리 나를 닮은 마음을 가진 사람을 만나고 싶어진다. 그렇지만 그 누군가를 먼저 사랑하지 않으면 그 사람의 진짜 마음을 제대로 볼 수 없을 텐데.

보통의 존재도 가장 특별해질 수 있고 오직 하나뿐이던 사람도 한순간에 아무것도 아닌 사람이 되기도 한다. 그것을 알고 나서, 또는 마침내 그것을 받아들이고 나서야 비로소 누군가를 편견 없이 볼 자신이 생겼다. 그 누구라도.

3-13
내 눈이 나빠서
⟨☞Pillow Talk - Jeff Bernat⟩

흔하지 않은 그 색깔, 지나고 나서 생각해보니 별로 어울리는 것 같지 않았던 그 옷을 입은 사람이 옆을 스치고 지나가면 나도 모르게 고개를 돌릴 때가 있다. 단추 구멍 만도 못한 시력을 갖고는 코앞에 얼굴을 들이밀지 않는 이상 백번을 돌아봐도 모를 테지만.

그래서 나는 형편없는 시력을 가진 것이 좋기도 했다가 싫기도 했다가 때때로 불편하다고 생각한다. 몇 살 위인 선배가 알은 체를 하는데 동기인 줄로 알고 빈정대며 대꾸하기도 하고, 기껏 전역하고 온 친구를 알아보는 데는 한참 걸리고, 그리고 이제는 그 색깔 옷을 입은 어떤 사람을 마주칠 때마다 이 사람이 너일까, 아니면 네가 아닐까 생각하게 되었다.

마주치고 싶은 것도, 피하고 싶은 것도 아니다. 눈이 나빠 사람을 모르고 지나가는 일이 흔하지만, 어쨌든 나는 기꺼이 우연과 마주칠 것이다. 사는 곳은 둥글고 빙 돌아서 가기엔 수고스럽지 않은가.

딴은, 내가 모르고 지나친 사람들 속에 네가 있었다 해도 혹은 그렇지 않았다고 해도.

3-14
익숙함은 잔인하다
〈☞Clean - Taylor Swift〉

편해졌다고 해야 할까, 아니면 불편해졌다고 해야 할까. 생각이 많은 나 같은 사람들은, 어쩌면 몰라도 되는 것들까지도 너무 많아 버리고 만다. 아주 사소한 것이라도 무언가 알게 된 뒤에는 절대로 그전으로 돌아갈 수 없게 된다. 그러니까 모르는 게 약이라는 건 순전히 개소리에 지나지 않는다. 그 약이 필요할 때는 정작 쓸 수가 없다. 그리고 이런 상황에 익숙해져 가는 것이 느껴지면 더욱 슬퍼진다.

커피 한 잔 마실 시간도 없을 만큼 바쁘다 하는 당신에게, 식어도 맛있는 커피를 만들어 주고 싶다고 생각했는데. 알고 보니 그 말은 나한테 쓸 시간이 없단 거였다. 그래서 때로 주머니에 담을 것이 없어서 슬퍼도, 갑작스러운 추위에 내 두 손을 잡아줄 다른 어떤 손이 없더라도, 그저 내 옷에 주머니가 달려 있다면 그걸로 됐다 생각했다.

쉽게 웃고 쉽게 생각하고 쉽게 말하고 쉽게 결정한다. 그만큼 상처를 받는 것도 주는 것도 쉬워진다. 가끔 나를 둘러싸고 있는 그 어느 것에서도 진심이 느껴지지 않을 때는 혼자서만 이 쉬운 세상을 어렵게 살려고 발버둥을 치나 싶다.

살아온 지금껏 가장 추운 것은 역시 '올해 겨울' 이다. 그리고 이렇게 추운 날 추위에 익숙해지는 것은 위험하다. 평소 같으면 차가운 말 한마디에도 속이 상하고 슬펐을 텐데, 아무렇지가 않다. 식은 사랑이 내 뿜는 냉기에 내 마음이 얼어붙었나 보다.

3-15
세상에서 당신을 빼면

내가 당신을 좋아한다는 말이, 당신의 모든 순간에 대해 관심이 있고 신경을 쓰고 알고 싶다는 의미는 아니다. 그러니 당신 역시 내가 지나왔고 또 가고 있는 나의 '모든' 순간을 알고 싶어 하지 않아도 괜찮다. 상대에 대한 호기심의 정도가 순전히 상대에 대한 관심이고 애정을 나타내는 척도일 것이라고는 생각하지 않는다. 그건 서로 다른 성질의 것이다.

살아가느라 이미 세상에 닳고 닳아 빠진 사람들을 만나다 보면, 어느 순간부터 자기방어를 위한 이기심이 생긴다. 손해 보지 않으려고, 지지 않으려고. 이건 정말 무의미한 짓이다. 세상은 좁고 또 좁아서, 누구를 어떻게 어디에서 또 어떤 상황에서 다시 만나게 될지 모른다.

누구나 어느 한 사람이 세상 전부가 될 때가 있다. 다만 제자리에서 뒤로 돌면 세상은 넓고 사람은 많아서, 같이 밥을 먹고 얘기하고 데이트할 사람, 당신이 알아가고 싶을 만큼 매력 있는 사람은 분명 어딘든 있다는 것조차 잊고 살지는 말자. 꼭 그 사람이 아니더라도 말이다. 세상에서 그 한 사람을 빼도, 셀 수 없게 많은 사람이 있다는 것은 거대한 사실이다.

3-16
교행
〈☞I Could give you love - Lasse Lindh

그제도 어쩌다 생각이 났고, 어제도 어쩌면 보고 싶었는데, 오늘은 그것보다 조금 더 그리워서 혹은 그때 그 시절의 철모르던 나 때문에 무작정 서울행 기차표를 끊었다. 7년 전의 그대로-라고는 무리가 있을지 몰라도, 다른 표정으로 다른 마음으로 다른 장소에 그리고, 다른 시간에 만나는 것이 참 새로웠다.
　그 사람은 내게 말했다. 생각하는 것을 행동으로 옮기는 게 그리 쉽지가 않다고. 그런데 너는 여전히 그대로야. 달라진 게 아무것도 없는 것 같다.

그게 좋은 뜻인지 그렇지 않은 지 알 수 없었다. 생각해 보면 그렇게 달라질 것도 없었다. 기껏 왔더니 그 한마디 말 때문에 내가 누구인지 스스로 되묻지 않을 수 없었다. 내가 알고 있는 나와 그가 기억하고 있는 내가 서로 다른 모습이라면, 그것은 과연 누구 탓인가.

그리움을 털어 내고 가는 길인데도 마음이 무거웠다. 앞서가고 있던 동인천행 급행 전철을 내가 탄 KTX가 앞지를 때, 나는 문득 서러워졌다. 내가 알고 있는 너와 내가 아는 내가 이처럼 평행이라면, 그래도 그것은 존재하는 현실일까.

3-17
이러지도 저러지도

식당에서 내가 고른 메뉴가 입맛에 맞지 않으면 다시 다른 메뉴를 주문하면 되고, 셔츠를 입다 단추를 잘못 채웠을 땐 처음부터 다시 입으면 그만이다. 어떤 사람과 맞지 않을 땐 대화를 많이 하면 되고, 한 번 실수는 반복하지 않으면 되고, 망쳐버린 일은 그 순간부터 고쳐보려고 노력하면 된다.

언젠가 필요하지 않을까 싶어서 버리지 못한 것들은 거의 쓸모가 없지만 그렇다고 버리기에는 아까운 것들이다. 내 손은 둘 뿐이라 모두의 손을 잡기에는 한참 모자라고, 내 어깨는 누군가에게 편히 빌려주기에는 너무 좁다는 것을 알았다.

나에게는 여유가 부족하고 생각은 너무나도 많다. 눈앞은 뿌옇고 나는 내가 낯설다.

3-18
그래도, 봄
〈☞Live a little - Wouter Hamel 〉

늘 그랬듯이 우리는 소소한 이유로 사랑에 빠지게 되었다가 사소한 것들이 쌓여 마음이 떠나고, 문득 그 사람의 세세한 것들까지 싫어하게 된 자신을 깨닫게 되는 순간부터 헤어짐을 준비한다.

그럼에도 불구하고 누군가를 만나고 사랑했던 시간은 낭비가 아니다. 그런 감정 소모는 오히려 당신의 삶에 여러 가지 색을 덧칠해 줄 것이다. 나뭇잎이 보라색이라도, 바다가 초록빛이라도, 아무렴 어떤가. 타인이 보기에 그저 그런 누구라도, 그를 사랑하는 사람에게는 가장 특별한 한 사람이 되듯이.

길을 잃어야 새 길을 찾으니, 그럼에도 불구하고 우리는 사랑하며 살아가야 한다. 마침 나란히 풍경을 보기 좋은 계절이 오지 않았는가. 빛이 비치는 곳에는 그늘이 지고, 만났기에 헤어짐이 있으니, 사랑 하나로는 언젠가 다가오는 이별을 막을 수 없다. 그러니 음악이 끝나기 전에 더 격렬한 춤을 추어라. 봄을 알리는 꽃이 피거든, 모두 사랑하라.
그대의 온 마음으로, 이 계절이 다 지나가기 전에.

3-19
단단해지기
〈☞Thunder - Boys like Girls〉

이렇게 적어 보아도, 슬프다는 말을 보면 슬퍼지고, 아프다는 말은 보기만 해도 아프다. 그냥 맞아도 아픈데, 때린 데 또 때리는 사람은 못됐다. 나 아프다고, 많이 힘들다고- 그렇게 우는소리를 하고 엄살을 부려 타인에게 위로를 받고 그 품에 안기는 것이 당장은 위안이 되겠지만, 그렇다고 다친 마음이 단단해지는 것은 아니다.

쉽게 상처받는다고 그러니까 조심해 달라고 나를 알아 달라고 그렇게 외쳐 본다 한들, 그게 내가 쉽게 상처받는 사람이 되지 않게 해주는 것은 아니다. 그것은 흡사 소포에 〈취급 주의〉라고 써 붙였으니 지구 반대편까지 금 간데 하나 없이 무사히 도착할 거라고 생각하는 거나 다름없다.

당신은 도대체 왜 그런 사람이냐고 왜 나에게 상처를 주고, 왜 나를 아프게 하느냐고 묻지 말자. 내 마음을 남에게 과녁인 양 내놓지도, 남에게 맡기며 잘 부탁한다고 하지도 말자. 손만 닿아도 부서지는 거라면 애초에 그런 건 내놓지 말아야 한다. 그러다 문을 열어본 지가 언제인지 기억조차 나질 않는 장식장 맨 위의 먼지 쌓인 유리 장식품 꼴이 나겠지만.

그러느니 차라리 발이 부러질까 봐 함부로 발길질조차 못 하는 그런 투박한 돌부리로 살자. 그만큼 단단한 마음을 닮자. 원래 처음 한 번이, 제일 어렵고 아프다.

3-20
고쳐 쓰기

글을 쓰는 것은 몇 번이고 지우개로 고쳐 쓸 수 있다. 오죽했으면 그러니 사랑은 연필로 쓰라고 했을까. 헌데 말은 일단 뱉고 나면 그걸로 끝난다. 이미 보내버린 메일도 상대가 읽기 전에는 발송 취소가 가능한 지금 이 시대에도 이미 내가 뱉어 내버린 말을 주워 담은 상대방의 귀를 막을 수 있는 것은 없다.

사람은 고쳐서 쓰는 것이 아니라고, 처음부터 너와 나는 서로 맞지 않는 사람들이었다고. 있는 그대로를 받아들일 수 있어야지 사랑이 아니냐고 했던. 그때 나는 당신이라는 존재를 연필로 쓰지 않은 것을 후회했다. 당신을 지울 수 없게 되어버렸다고 생각했기에.
그렇게 한참을 슬퍼하다, 뒤늦게 아직 쓰지 않은 종이가 한참 남아 있다는 사실을 깨달았다. 나는 그저 다음 장으로 넘기기만 하면 되는 거였는데.

3-21
내가 바라는 바다
⟨☞Random Awesome - Yuna⟩

연인과의 다툼에서 가장 힘든 점은 서로의 바닥을 드러내면서 상대에 대한 환상이 무참히 깨져 버리는 데에 있다. 싸우는 과정에서 서로가 평소와 다른 표정이나 말투, 행동에서 알게 모르게 상처를 받게 된다. 어떤 사람은 화가 난 때의 모습이 그 사람의 원래 모습이라고 단정 짓기도 한다. 이것이 반복되면 결국은 서로 상대의 애정을 의심하기에 이른다.

 고로 싸우지 않고 살아갈 수 없다면, 차라리 잘 싸우는 법을 터득해야 한다. 싸울 때마다 매번 서로의 바닥을 확인해야 할 이유가 없다. 깊이를 가늠할 수 없는 바다라도 썰물 때에는 축축한 맨땅만 남는다. 서로 싸우는 와중에 진심을 확인한다는 말은 너무 심한 억지다. 상대의 애정이 썰물처럼 빠져나간 때에 그 애정의 깊이를 재어본다고 한 들, 그것이 무슨 의미가 있는가.
 모든 것에는 그에 맞는 때가 있다. 그러니 사랑한다면 그때를 기다릴 줄도 알아야 한다. 한결같이 온 마음으로 사랑할 수 있어야만 진짜인 것은 아니다. 상대의 마음이 아무리 넓고 깊은 바다라도 그 애정의 정도에는 조석 간만의 차가 있기 마련이다.

 바다는 늘 제 자리에 있다. 밀물 때든, 썰물 때든. 포기하지 않는다면 곧 상대의 마음에는 밀물처럼 당신이 차오를 테다. 그것을 믿고 기다려주는 것이, 어부가 바다에서 살아가는 방식이다.

3-22
진짜 연애

 많은 사람이 그런 말을 한다. 나를 좋아하는 사람은 뭔가 마음에 안 차고, 내가 좋아하는 사람은 나를 좋아하지 않는다고. 그러니 서로 좋아하는 마음으로 만나기가 정말 어렵다고. 이런저런 사람을 만나고 겪어보고 나니 내 마음을 표현하는 것도, 상대의 마음을 아는 것도 쉬운 일이 아니다.

사람마다 저마다의 기준과 방식이 있다. 사랑한다고 느끼게 하는 것도, 사랑받는다고 느끼는 것에도. 누구는 연락 횟수를 가지고, 누구는 데이트 비용을 가지고, 또 다른 누구는 스킨십을 가지고 마음을 저울질한다. 서로의 관심과 표현의 크기를 잰다.

연애다운 연애를 하려면 먼저 남녀의 행동방식에 대한 고정관념을 버려야 한다. 사랑받고 싶은 것은 당연한 욕구지만 그러려면 먼저 사랑을 표현하는 데에 주저함이 없어야 한다. 그렇게 하나하나 따지는 동안 상대도 분명히 눈치 채고 있을 거다. 아, 저 사람이 지금 나를 재어보고 있구나, 하고.

때로는 사랑하는 사람에게 사랑 받지 못하더라도 의연하게 굴어야 한다. 서로 사랑하는 방식이야 얼마든지 다를 수 있다. 그 차이를 좁힐 수 있도록 해주는 것이 충분한 대화이며, 사랑하는 마음이다. 모두의 사랑 방식은 다르고 당신이 사랑 받는다 느끼지 못할 때도 그는 당신을 더할 나위 없을 만큼 사랑하고 있을지도 모른다.

누구나 자기감정에 의문을 갖게 되는 때가 온다. 최소한 자기 자신과 상대방에게 솔직하기를. 다 지나간 뒤에 우리가 진짜 사랑했다고 깨닫는 것은 생각보다 진한 아픔을 남기고 가므로.

3-23
사랑과 사람을 잊는다는 것은
⟨☞Gravity - Sara Bareilles⟩

누군가를 사랑하고 이별해 본 사람이라면 안다. 누군가에게 마음을 주고 정 들어 본 사람이라면 안다. 누군가를 잊는다는 것이 얼마나 어려운 일인지. 잊겠다고 다짐하고 생각하는 것조차도, 사랑했던 그 사람의 부재를 재확인하는 것에 불과하다.

사랑을 또 다른 사랑으로 잊는 사람도 있고, 지나간 사람이지만 완전히 잊고 난 뒤에야 다른 사람을 만나는 것이 예의라고 생각하는 사람도 있다.

헤어진 뒤 굳이 잊으려고 노력해야 하는 사람은 대개는 이별을 통보받은 쪽이다. 일부러 좋지 않은 기억을 떠올려 보기도 하고, 원래보다 더 못된 사람으로 기억을 덧칠하기도 할 것이다. 어쩌면 상대를 붙잡으려 할 수도 있고, 오히려 이때다 싶어 쉽게 정리하는 사람도 있을 것이다. 먼저 이별을 고한 상대가 미워 아무렇지 않은 척을 할 수도 있고.

그러나 아무리 다 잊었다고 생각한 때에도, 다 괜찮아졌다고 생각할 수 있게 된 때에도, 그 기억들은 언제고 튀어나온 길가의 돌부리처럼 당신을 길 한복판에 고꾸라지게 만들 수 있다. 그때 아무렇지 않게 툭툭 다시 일어날 수 있어야 비로소 '괜찮아'라고 말할 수 있을 것이다.

3-24
언제 그랬냐는 듯이

시간의 공백은 그렇게 메워진다.
나는 너 없이, 너는 나 없이.
너는 너의 시간을 온전히 너로 채우고 있다.
그러나 나는 상실감을 안고서…

길을 잃어야 새 길을 만나고,
그릇을 비워야 새 물을 담는다.
그리고 나는 차마 내 마음을 비우지 못하고 있다.

소리 없이, 흔적 없이 밀려온
너는 나를 채웠고-
썰물처럼 그렇게 빠져나갔다.
나는 바닥을 드러낸 채로 그렇게 남았다.

언제 그랬냐는 듯.

3-25
이별과 이별하기
⟨☞Stay with me - Sam Smith⟩

세상의 모든 이별은 미화될 수 없다. 누가 됐든 그 마음의 크기가 그 정도여서, 여기에서 멈춰서. 누가 더 좋아하고, 덜 좋아하느냐를 따지자는 것이라기보다는, 그저 상대는 여기 까지라고 결론 낸 것이니까. 그곳에서 그대로 돌아서서 자기 갈 길을 찾아가는 것이다.

어쩌면 나는, 그를 사랑한 것이 아닐지도 모르겠다. 그저 나 자신에게 집중해 주고, 나를 채워주는 나 아닌 존재가 필요했었던 건지도 몰라. 그렇게 사랑이라는 이름으로, 연인이라는 족쇄로 얼마 간 만났고, 그러니 앞으로도 그럴 거라고 생각했었던 건 아니었을까.

생각조차, 아니 짐작이나 했을까. 이렇게 무너져 내리는 바로 저 여자가 바로 어제 몇 시간 전에도 사랑한다고 말하던 여자였다는 걸. 조금이라도 생각은 했을까. 내가 좀 바빠. 그래서 힘들어. 그러니까 조금만 떨어져 있자. 그는 더 이상 내게 다정할 필요가 없었고, 이해를 구할 필요가 없었다. 동의를 얻을 필요도 없었다. 그는 더는 나를 필요로 하지 않았고, 오히려 내가 멀어지기를, 없어지기를 바랐다.

그는 모르겠다고 말했다. 나를 사랑하는지를. 너를 더 사랑하지 않아, 라는 말을 듣는 것보다, 차라리 더 슬펐던 것 같다. 나는 이미 무너져 내리고, 바닥으로 가라앉았다. 이유가 무엇이든, 내가 모르는 어떤 것이 더 있든, 그냥 그의 말이 진심이라는 걸 알았다. 함께 한 시간과 나눈 감정들을 팔아서라도 그를 지킬 수 있으면, 사랑하는 내 마음을 지킬 수 있으면 나는 그걸로 됐다고 생각했었는데. 더 무너져 내릴 것도 잃을 것도 없다는 것을 알았다.

그가 나를 사랑하지 않는 것 같다고 말한 그 순간부터, 이것은 나만의 문제가 되었다. 나를 사랑하지 않는다고 말하는 그를 사랑할 수 있을 만큼 미련하지 않은 나의 문제.

그러니까, 그렇게 바라고 원하던 만큼 내게서 멀어 져라. 내가 당신이라는 사람이 있었던 줄도 모를 만큼 멀리 가라. 더 멀어 져라. 나는 나를 위해, 이제 더는 울지 않을 테니.

3-26
무너져야 무뎌진다
⟨☞I put a spell on you - Annie Lennox⟩

나라는 사람은 쉽게 쌓아 올려 진 사람이 아닌데도, 그런데도 왜 별것도 아닐 것들로 와르르 무너지는가. 나는 신경질적인 사람이 아니다. 신경을 쓰는 사람일 뿐. 관심이 많은 사람일 뿐. 관심을 많이 기울이는 사람일 뿐. 때때로 그러지 않아도 될 것들에, 그렇게까지 하지 않아도 될 것까지도 에너지를 낭비하고 있음이 문제가 될 수는 있어도, 그런 나 자체가 문제는 아니다. 나도 잘 안다.

나는 그저 그런 글을 쓰는 사람일지도 모른다. 별것 아닌 생각을 별것 아닌 문장으로 옮겨 적는 일. 나는 그것을 스스로를 다지고 위로하고 쌓는 시간으로 삼는다. 이렇게 하는 것이 내게는 위로가 된다. 누구나 저마다의 방법으로 시간을 낭비하니까. 뱉어 놓고 보면, 밖으로 내보내고 나면, 추하고 더러워 보이는 것들이 어디 한둘이더냐. 결국, 감정이란 것들도 내보이고 나면 내 생각의 부산물일 뿐인 것을. 그것을 남들이 추하다고 생각하든, 더럽다고 피하든, 결국엔 다 똑같다. 하나도 다르지 않다. 이렇게 감정을 소비하면 그만인 것을. 다 소화 시켜 내보내면 그만인 것을. 무엇이 더 필요한가.

이렇게 날마다 내게서 그를 덜어내는 연습을 하고, 내 감정을 내려 놓는 연습을 한다. 그래, 당장은 아무것도 달라지는 게 없는 것처럼 보이겠지. 하지만 오늘보다는 내일, 내일보다는 모레에는 더 나아질 수 있을 거라는 기대가 있다. 딱히 할 수 있는 게 이것뿐이기도 하지 만.

모래성을 쌓아 놓고 서로 모래를 가져가는 게임을 하는 것 같았다. 누가 더 가져가고 덜 가져갔는지는 중요치 않다. 마지막에 깃발을 무 너뜨리는 사람이 지는 게임. 내가 이렇게 자존심이 없는 사람이었나 자꾸 스스로 되묻게 된다. 사랑은 자존심으로 하는 게 아니라는 말에 그렇게 세뇌 된 것이겠지. 그렇지만, 나도 알다시피, 사랑은 자존심이 있는 사람이나 할 수 있는 거였다.

내 자신에 자신감이 부족해 타인의 애정으로 그것을 채우려고 하는 것. 물이 반쯤 찬 비커에 기름을 넣어 비커를 채울 순 있어도, 그것 은 물 한잔이 될 수는 없다. 물 반, 기름 반이 될 뿐이지. 그것으로 물 한잔의 갈증을 풀려고 하니 어려울 수밖에.

끄덕끄덕. 구구절절 옳디 옳은 말. 이렇게나 잘 알고 있으면서도 항상 행동은 부족하고 실천은 모자란다. 이제는 내 탓이다. 내 역할 이고 내 몫이다. 무너진 나를 다시 쌓아 올리는 것은 내가 아닌 사람 에게 미룰 수 있는 일이 아니다. 당연했던 것들이 더는 당연하지 않 은 이 상황을 직면해야만 한다. 이럴 때 가장 큰 용기를 줄 수 있는 사람은 나뿐이다. 이런 나를 두고 내가 도망갈 수 있겠느냐고. 나까 지 도망가면 뭐가 되겠느냐고.

그렇게 나를 다스리고, 달래고, 타이르고, 때로는 모질게 굴어야지. 무너지는 날, 일으켜 세워야지.

3-27
아무도 아프지 않았다

내가 아무리 당신을 사랑했더라도, 당신을 이해할 수 없음을 깨달았다. 당신이 이제 내게 그럴 필요가 없다는, 자유 아닌 자유를 줬기에. 탈출하고 싶었다면 자유롭게 뛰쳐나갔을 텐데, 새장 안에 남아있고 싶어 했던 새는 그렇게 원치 않는 곳에서 빠르게 생명을 잃어버렸다. 내가 가진 사랑의 크기와 네가 가진 사랑의 크기는 다를 것이고 당신은 그걸 나보다 빨리, 먼저 써버려서 이렇게 됐을지도.

시간은 무시하기 힘들다. 사랑이든 정이든 그 시간이 거대하게 느껴졌고, 그 저항을 정면으로 맞서기 어려웠다. 그 시간에 사랑에 치여서, 온 몸이 부스러졌고 온 마음은 바스러졌다. 이별이 남은 사랑에 대한 배신으로 해석될 수 있다는 것은 알고 있었지만, 그게 진짜 배신은 아니었을까 생각 하게 되었고, 그만큼의 배신감이 밀려왔다.
남은 사랑으로 힘들었던 시간이, 배신감으로 분노하는 시간으로 바뀌어 버렸지만, 이제 아파야 할 사람은 내가 아니라는 것을 깨달았다.

3-28

검정 치마

⟨☞Don't love you no more - Crag David⟩

학교 근처 번화가의 카페, 오후 세 시. 약속 시간까지는 두 시간이 조금 못 되게 남아있었지만 나갈 채비를 시작했다. 여자들이란 특별히 신경 써서 꾸미는 것도 아닌데 시계를 보면 어느새 한두 시간이 훌쩍 가버리곤 해서 아예 일찍 준비하는 것이 습관이 됐다.

사실 누군가 새롭게 만날 마음의 준비가 안됐다고 생각해서 미뤄왔던 소개팅이었다. 나를 생각해서 기껏 약속을 잡아 준 주선자에게는 미안한 말이지만 기대가 되지도 않고, 상대방이 그리 궁금하지도 않았다. 여태껏 손사래를 치다가 이번에 마다치 않은 것은 연애의 공백이 길어질수록 아직도 지난 사람을 잊지 못하고 있는 것처럼 보이는 주위의 오지랖이 견딜 수 없을 만큼 싫어서였다 . 이제 아무렇지도 않다고 신경질을 냈더니 지인을 소개해 주겠단다. 자리를 깔아 주는 데 싫다고 빼기에도 어려워 그러자 했던 것이 조금 후회가 되었다. 어쨌거나 약속은 약속. 싫다고 할 땐 언제고 막상 오랜만의 외출이라 그런지 한편으로는 들떴다. 가서 얘기 몇 마디 해보면 되지- 했던 심드렁한 생각도 조금은 바뀌었다.

머리 모양을 잡고 평소 하는 대로 연하게 화장을 끝내고 나서 입고 나갈 옷을 고르려는데 전부터 입으려고 생각해 뒀던 그 옷이 보이지 않았다. 한참 동안 옷장을 뒤져도 없고, 혹시 잘 입지 않는 옷을 걸어뒀던 행거까지 찾아봤지만, 그 어디에도 없었다. 몸에 적당히 붙으면서 단정해 보여 가장 즐겨서 입던 베이지색 원피스였다.

"엄마, 그 옷 어디 있어?"

한참 재밌게 드라마를 보다 갑자기 내 방으로 호출 당한 엄마는 옷을 얼마나 많이 사면 그거 하나 못 찾느냐며 잔소리만 끊임없이 할 뿐이었다. 아, 잘못된 판단.

"여기 이거 아냐?"

역시! 모든 것은 엄마가 알고 있지. 암, 그렇고말고. 바로 입고 나가면 겨우 시간은 맞출 수 있겠다 싶어 안도의 한숨을 내쉬는데, 옷에서 웬 퀭한 냄새가 나는 거였다. 알고 보니 옷을 찾느라 여기저기 쌓이는 옷 무더기를 보다 못한 엄마가 혹시나 하고 세탁물 바구니를 들춰 보다 찾아낸 거였다.

옷이 얼마나 많으면 이걸 여기 놔둔 지도 모르고 찾고 있냐는 폭풍 같은 잔소리를 뒤로하고, 그 옷에 방향 스프레이를 뿌려서라도 입고 나가야 할지를 진지하게 고민했다. 워낙 좋아해 자주 입던 옷이라 미리 세탁해 둔다고 하는 걸 잊고 있었던 건가. 아무리 그 옷이 예쁘고 잘 어울린다고 해도 그 묵은 냄새가 배버린 옷을 다시 꺼내 입을 수는 없었다. 미리 미리 깨끗하게 빨아 놨어야 했는데.

약속 시각은 가까워져 오고 여전히 망설이고 있는 내게 엄마가 아무거나 대충 입고 가라며 검정 스커트를 내밀었다. 옷장에 대 여섯 벌이나 있을 텐데, 왜 하필 엄마는 고르고 골라도 그 옷을 꺼내는지.

잊는 것이 아니라 잊혀지는 것이고, 더는 원망하지 않는 것이 아니라 그저 이해하게 되는 것이었다. 그냥 평범한 치마 한 장인데. 그 옷을 골라 주면서 잘 어울린다고 웃던 그 모습이 겹치는 이유는 무엇인가.

문득, 그렇게 당신이 다시 생각나- 서러워졌다.

3-29

이별의 진화론

〈☞Skinny love - Birdy〉

상황이 변하고, 사람도 변한다. 사람이 변하니까 상황이 변하고, 상황이 변하니까 사람도 변한다. 그 수레바퀴에 맞서 싸우려고 하면 진다. 혼자만 변하지 않으려고, 상황을 이겨보려고 버티지 마라. 이럴 땐 상황을 극복하려고 하는 것이 너를 도태되게 만든다.

애정 전선에 이별이라는 기상이변이 일어났을 때 살아남는 사람은, 결국엔 변화에 적응하는 사람이다. 맞서 싸워야 할 사람은 변하지 않으려고 애를 쓰는 당신 자신이다. 잊지 말아야 할 것은 오직 그것 하나 뿐. 그러니 너 자신을 외면하게 하는 사람을 멀리해라. 너는 이미 할 수 있는 것 이상으로 최선을 다했으니까.

돌아오지 않는다면 그걸로 된 거다. 그런 식으로 도망치고 싶은 거라면 도망치게 둬야 하고, 그런 식으로 도망쳐서 도망칠 수 있는 거라면 어차피 소용없는 것이지 않은가. 이미 뻔히 보이는 사실을 외면해서 남는 것은 없다. 그 사람이 하고 싶은 대로 하게 둬라. 있는 그대로 사랑한다고 하지 않았는가. 그렇게 말했으면 그렇게 해라. 도망치든, 떠나든, 그 사람을 있는 그대로 사랑한다면 그가 원하는 대로 하게 내버려 둬라. 어차피 시간에 달렸다. 그가 오든, 그 전에 네가 이곳에서 떠나든.

변하는 것을 변하지 않게 하려고 하지 마라. 결국은 네 마음도 변할 것이다. 변하지 않게 하려고 용쓰지 마라. 네가 언제 까지 이렇게 힘들 것이라는 법도 없고, 네가 언제까지 그 사람이 아니면 안 된다고 생각할 것이라는 법도 없다.

변할 것은 변하고, 변하지 않을 것은 변하지 않는다. 그러니 네가 뭐든 바꿀 수 있다고 착각하는 것은 그만 두어라.

3-30
그때 그 사람

아무리 좋아하는 음식이라도 날마다 먹으면 싫어지는 날이 오듯이, 제일 좋아하는 영화라도 날마다 보는 것은 아니듯이. 그 어떤 사람도 자신이 하고 싶었던 일만 하면서 살지는 못하듯이. 사랑하고 아끼는 사람과 모든 시간, 모든 일을 항상 함께할 수 있지 않듯이. 끝나지 않을 것 같은 절망의 터널이라도 어딘가에 끝은 존재하듯이.

모든 것은 지나고 나면 전과 완전히 똑같을 수는 없다. 기억은 왜곡되어 추억으로 남고, 사랑은 떠나고 난 뒤에야 그 크기를 가늠할 수 있을 뿐이다. 눈으로 볼 수 없는 것에 더해지는 것은 아무리 커도 티 나지 않지만, 존재의 부재는 아무리 작은 것이라도 원래의 크기보다 더 크게 느껴지는 법.

그러나 지나고 나면, 아팠던 시간마저 서럽도록 아름다워진다. 그러니 너는 괜찮다. 내가 딛고 서 있는 이 땅은 둥글고, 그래서 신발이 다 해질 때까지 걷고 또 걷다 보면, 다시 보게 될까. 아직은 보고 싶은 너에게 정말 많이 보고 싶어 했었다고 말할 수 있게 될까. 다만 보고 싶다는 지금 이 생각이, 보고 싶었다는 지난 이야기로 바뀌려면 앞으로 얼마의 시간이 더 지나야 할까.

3-31

모든 것이면서 아무 것도 아닌

⟨☞It's not true - William Fitzimmos⟩

지나간 많은 시간을 회상이라는 체로 거르면 감당하기 어려운 추억만이 남는 것을. 당신이 떠나고 난 뒤에도, 나는 남아 있었다. 그 시간 속의 나는 그렇게.

반나절을 당신을 만나러 가는 차 안에서 보낸다면 그 시간마저도 당신을 생각하느라, 당신과 함께 있었음을. 함께 했던 공간, 함께 보낸 시간을 떠올리다 보면 그 어디에도 당신이 아닌 곳이 없다. 이 세상 온 천지에 당신이 공기처럼 떠다니고 있다.

너무 아픈 사랑은, 힘든 사람은 내 것이 아니라고 했던가. 하지만 그 누구도 누구를 영원히 가질 수는 없다. 애초에 어떤 이도 누구의 것은 아니었다. 그렇게 내 모든 것이었던 당신을 보냈다. 그 찬란하게 행복했던 모든 순간은 빛을 잃었다. 모든 것이, 아무것도 아닌 것이 되었다.

당신이 그렇게 떠나고 난 뒤.

3-32
세 번의 이별

그는 힘들다고 말했다. 나는 그가 바라는 관심보다 많은 신경을 썼고, 사소한 잘못에 그가 미안해하는 것보다 더 많이 화를 내곤 했다. 그는 눈물을 닦아줄 새조차 없게 자주 우는 나를 보는 것이 숨이 막힌다고 했다. 그런 나는 그를, 우리를, 내가 사랑할 수 있는 만큼보다도 더 많이 사랑했었다. 그래서 내가 응당 아파야 할 만큼보다 더 많이 아팠다. 참아낼 수 없을 만큼.

그가 필요했다. 사랑했기 때문에. 울고, 싸우고, 슬프고, 속상하고, 화가 나더라도 손을 뻗어 그의 손을 맞잡으면 결국엔 모든 게 다 괜찮아지기 마련이었다. 그로 인해서 무너진 세상을 다시 세울 수 있는 것은 그였고, 대부분의 문제는 그가 곁에 있다는 사실만으로도 결국엔 괜찮아지는 것들이었다.

여전히 아프고, 조금은 힘들다. 온전히 혼자서 두 사람의 몫의 아픔을 다 견뎌내고 나니 다시 다른 사람을 사랑할 마음이 생긴다. 나는 내 모든 시간에 떳떳하고 당당하다. 당신을 아름답게 추억할 수 없게 되었지만 조금도 아쉽지 않다.

언젠가 드러날 사실을 숨기는 것도 때로는 지독한 거짓말인 것을. 나를 사랑하지 않는 그와, 우리라는 미래의 허상, 여전히 그를 사랑하는 미련한 나와도 이젠 그만 안녕.

3-33

존재의 상대성 이론

⟨☞Thinking out loud - Ed Sheeran⟩

우리는 살면서 많은 사람을 만난다. 그리고 그렇게 마주한 사람들과 지내다 보면 많은 일을 겪게 된다. 언젠가 당신은 그들이 당신을 '구기려고' 한다는 생각이 들 때가 생길 것이다. 그럴 때 당신이 할수 있는 최선은 최대한 구겨지지 않으려고 노력하는 것이다. 다림질로 펴는 연습이 필요하다. 당신의 자존심을 남의 잣대라는 도마에 올려 두지 마라. 상대의 평가에 자신을 맡긴다는 것은 도마 위의 생선이 되겠다고 자처하는 것이니.

당신은 당신이라는 우주 안에서 가장 크고 빛나는 태양 같은 존재다. 그렇지만 타인이 중심인, 타인의 우주에서는 어쩌면 한낱 먼지에 불과할 수도 있다. 당신의 삶에서 당신이 가진 영향력이, 타인의 삶에서도 그대로 적용될 거라고 착각하지 마라.
존재의 크기는 상대적이다. 당신이 자신을 생각하는 것만큼 타인에게 그것을 바란다면 언제고 반드시 실망하거나 상처받게 될 것이다. 반대로, 당신의 중력을 타인에게 맞춰서도 안 된다. 삶의 중심이 타인으로 맞춰지는 그 순간, 당신 자신의 인생에서 주변인이 되는 중력역전 현상을 발견하게 될 것이다. 그리고 그것을 깨닫게 되는 순간에는 이미 돌이킬 수 없게 되고 난 뒤다.

그러니, 상대적인 이 우주에서 절대적인 사랑을 바라지 마라. 우연히 그것을 얻게 된다면 그것이 단지 지금의 시간에만 존재하는 것임을 알아둬라. 명심해라. 사람들은 가보지 않은 우주에는 경외감을 느끼지만, 자신이 이미 딛고 있는 땅도 그 놀라운 곳의 일부임은 잊고 산다는 것을.

3-34

두유 바닐라 라테

⟨☞Say hello - Rosie Thomas⟩

내가 좋아하는 것들을 좋아하는 사람과 전부 함께하는 것은 바보 같은 짓이었다고 생각했다. 좋아하는 사람이 좋아했던 사람이 되어버리는 순간, 그대로인 나머지의 것들은 더는 그대로 일 수 있지만은 않게 되었다. 그가 떠난 후 나는 그 좋아하는 두유바닐라라테를 거의 마시지 않게 되었다. 이유는 모르겠다.

함께 있었던 곳에 가지 않아도, 불러 주었던 노래를 다시 듣지 않아도, 그 모든 순간의 나는 지워지지 않았다.

그저, 아주 천천히 그리고 서서히 옅어질 뿐.

3-35

별이 빛나는 밤에

⟨☞Fall for you - Secondhand Serenade⟩

모두가 반대에 끌리는 것은 아니다. 나는 나 자신을 사랑하는 사람이었고 그런 비슷한 이유로 나와 닮은 그 사람 또한 많이 사랑했지만, 막상 그는 타인일 뿐이었다. 내가 자신에게 관대한 것과 타인을 인정하는 것은 전혀 다른 차원의 일이었다. 시간이 지나자 우리는 사사건건 충돌했다.

나는 전혀 괜찮지 않았다. 그리고 언제부터 인가 괜찮지 않다고 사실대로 말하는 것이 상황을 더 나쁘게 만든다는 것을 깨달았다. 그래서 솔직해질 수 없었다. 그와 나를 잇는 다리는 붕괴 직전이었고, 나는 괜찮다는 거짓말로 외벽을 덧칠하고 틈을 메꿨다. 괜찮다는 말은 내가 그에게 했던 유일한 거짓말이었다.

계절이 바뀌고 전보다 차가워진 바람이 가슴을 파고드는 밤이다. 잠이 오지 않을 때, 홀로 깨어있는 시간의 적막함이 무거워 혼자서는 도무지 그 침묵을 견디기 어려울 때가 있다. 사랑했던 이가 떠날 땐 그와 함께했던 모든 순간조차도 모두 떠나보내야 할 것 같아서 더 슬퍼진다. 뜨거운 여름을 보내고 난 뒤의 가을바람은 그 어느 때보다 차갑다. 생각보다 겨울이 멀지 않은가.

그러나 사랑하지 않았다면 이 모든 순간이 존재할 수 있었을까. 내마음의 심지에 당신이 불을 붙이지 않았다면 그토록 뜨겁게 나를 태울 수 있었을까. 비록 남은 것은 눈물처럼 흘러내린 촛농뿐일지라도, 헤어지지 않았다면 그토록 우리가 뜨겁게 사랑했었음을 깨달을 수 있었을까.

새벽이 가까워 올수록 어둠은 점점 깊어진다. 이렇게 칠흑같이 어두운 밤, 바람이 거세게 불수록 별은 더 밝게 빛난다. 길고 긴 겨울 밤이 가고 나면 어김없이 봄의 아침이 오리라.

4
모든 것에 대한 모든 고민

창밖으로 송정 바다가 보였다
어젯밤 읽던 책을 마저 다 읽었더니
해는 바다 안개를 뚫고 금세 떠올랐다
하루 종일 아무것도 한 게 없었는데도
이미 할 수 있는 모든 것을 전부 해 본 기분이 들었다

세상이 만든 벽을 깨고 나가게 하는 것은 거창한 도전 정신일 수도 있고 두 주먹을 꽉 쥔 용기 일 수도 있으며 때로는 순진무구한 호기심 일 수도 있다. 그중에 어떤 것이라도 좋다. 단지 모두에게 사랑받으려 죽을 힘을 다하느니 "뭐 이 씨발" 하고 코웃음 치는 것도 그리 나쁘지 않다는 것을 알았으면 좋겠다. 카메라가 무엇을 담아낼지를 결정하는 것은 바로 셔터를 쥔 사진작가이고, 무엇을 쓸지를 결정하는 사람은 결국 연필을 손에 쥔 사람이지 않은가.

당신이 나를 사랑하지 않더라도 나는 당신을 사랑할 수 있다. 때로는 실망하고, 풀 죽어 있을지라도. 속이 상하고 뜻하지 않게 상처받게 되더라도 나는 내가 살고 싶은 대로 살아갈 것이다. 그 누구의 손길 없이도 두 발로 찬바람을 맞고 서 있을 수 있다면 그걸로 된 것이다. 누구나 어둠 속에서 혼자가 된다. 나는 그 어둠이 두렵지 않다.

내게 있어 살아간다는 것은, 살아있다는 것은 '고민하는 것'이다. 고민하는 삶이 곧 나의 삶이다. 불안한 나를 사랑하고, 나의 불안을 사랑한다. 이것이 내가 긴 밤을 버티는 방법이고, 잠들지 않고 계속해서 글을 쓰는 이유이기도 하다.

나의 모든 순간에, 내가 진정 나일 수 있기를 바라며.

4-1
행복한 인간관계는 과연 있을까

얼마 전 행복에 관하여 논한 심리학 도서를 읽었다. 한 사람의 생각과 기분은, 노력해도 다른 사람에게 100% 같게 전달될 수는 없다는 구절이 생각난다. 사람은 자기의 생각을 가지고 타인의 생각을 이해하려고 하므로. 그래서 사람 사이에서 '믿음'이라는 감정이 가지는 힘은 말로 표현할 수 없을 만큼 커다란 힘을 가지고 있는 것 같다. 내 생각과 느낌을 상대에게 똑같이 같게 이해시키거나 느끼도록 할 수는 없지만, 적어도 그가 이해했으리라 '믿는 것'. 난 그게 바람직한 인간관계를 유지 시키는 힘이라고 생각한다.

내가 최선을 다해서 진심으로 대했다고 생각했던 사람이, 나와 같게 느끼지 못했다고 한다면 그만큼 마음 아플 일도 없지만- 나를 이해하지 못했다고 서운해 하고, 속상하다고 하기 전에 그에게 '믿음'을 주지 못했던 내 탓인가. 여태 만나오고 알게 된 많은 사람은 전부 생김새도 다르고 성격도 다르지만, 누구 하나 다르지 않은 건 이기적이라는 거다. 좋은 뜻으로는 다들 자신에 충실한 삶을 살고 있더라는 거고, 다르게 말하면 결국은 이놈이나 저놈이나 같더라는 얘기다. 내가 이야기하는 것을 이해하려는 사람을 찾으려 애를 쓰기보다 느낄 수 있는 사람을 사귀어야겠다고, 무엇보다도 서로 '믿고 있다'고 믿을 수 있는 이를 찾는 것이 낫단 생각을, 참 어리석게도 스물한 살에서야 한다. 더 늦지 않아 다행이다.

누구인지, 어떻게 살아온 어떤 사람인지 알게 될 시간이 참으로 부족하게 한꺼번에 알고 만나고 지낸다. 올해도. 그중 몇몇은 애초 남보다 못한 사이로 남을지 모르고, 다른 몇몇은 손 인사라도 가볍게 하고 지낼 사이가 될 것이다. 그리고 남은 이는 간절히 바라건대, 좀 더 소중한 이로 남을 것이다.

여전히 나는 말이 많고 생각이 많다. 적어도 그때 신념과 생각에 맞는 생각과 말을 하려고 애를 쓴다. 그러나 요즘 들어 보고도 못 본 척하고 알고도 모르는 척하고 하고 싶은 말이 있어도 아무런 말도 하지 않는 것이 때에 따라 최선일 수도 있다는 생각을 하게 되었다. 아이러니하다. 침묵의 힘을 알아간다는 것은 나이를 먹고 어른이 되어가고 있다는 증거라는 말을 나는 믿고 싶다.

시작도 쉽고 맺음도 쉬운 어설픈 인간관계 사이에서는 본심이야 어찌 되든 말하고 듣기에 그럴듯한 말이 오고 간다. 그런 말이 그 '어설픈' 관계를 지속시키는 힘이 된다. 서로를 믿는 게 힘들다. 자꾸 곱씹고, 뒤돌아보게 된다. 내가 하는 생각과 같을 수 없다는 것을 알기에 더 그럴지도.

그래서 나는 말하고 싶다는 이유만으로는 마음에 있는 말을 다 하지 않게 되었다. 나의 진심이야 어찌 되었든 간에. 믿음이 없는 사이는 '믿음' 을 필요 충분 조건으로 한 말들에는 가차 없이 아무것도 아닌 사이로 바뀌게 된단 것을 깨달았기 때문에. 이것을 얼마나 다치고서야 깨달았나. 그로 인해 얼마간을 앓았나.

단둘이 덜렁 남겨져 정적만이 흐를 때 어색함에 미칠 것 같은 사람이 있는 반면에, 같이 있을 때 어떤 말도 오가지 않아도 어색하지 않은 사이도 있다. '말하지 않아도 알 것' 같은 사이. 그저 서로 말하지 않아도 알아줄 것으로 '믿는' 것일 뿐이다. 그런 이가 많지 않아도 - 하나만 있어도, 삶은 달라질 수 있다. 믿음으로 묶여있는 사이는, 어설픈 사람들 사이에 지쳐버린 마음이 기댈 버팀목이 되어 줄 수 있는 것이다. 인맥이 힘이라고 하고, 세상 전부라고 하기도 한다지만 그저 둘 중 하나가 지쳐있을 때 먼저 손을 내밀어 주고, 의식하고 보이지는 않아도, 늘 손닿을 거리에 함께 있음을 느낄 수 있는 그런 이가 한두 사람일지언정 나에겐 있기에.

적어도 내가 서서 버틸 이 한 뼘 공간만큼은 온전히 내 것이기에, 나는 때로는 힘들고 지쳐도, 참 지랄 맞고 더러운 세상이라는 생각이 들 때도, '그래도 살만 하다고' 하늘을 올려다볼 수 있음에 감사한다. 감사한다. 나에게 그들이 있음에, 그들이 나와 같음을 믿음에.

4-2
당신과 나 사이의 거리

혼자 생각하고, 판단하고, 또 결정하는 사람은 피곤하다. 언제부턴가 사람을 만나고 어느 정도 이야기를 하고 나면, 그 이상 친해지고 싶은 마음이 들지 않는다. 딱 그만큼만 했으면 좋겠다- 고 생각이 들어 버린다. 더 다가오고, 더 가까워지려 하는 것 같으면 도망치고 싶어진다. 연락하기 싫어지고 짜증이 나기 시작한다.

나는 다른 의미로 별로 특별할 것도, 다를 것도 없는 사람이다. 대개 사람들이 그러한 것처럼. 남이라고 생각하는 사람이 나를 어떤 의미로 부여하려는 것이 귀찮고 싫다. 때로는 사람 속이라는 게 뻔히 들여다보여서, 메스껍다. 어지럽다. 답답하다.

4-3
긍정과 자기합리화의 차이점

어디선가 들은 기억이 난다. 사람들은 자기 자신의 단점을 가지고 있는 사람을 미워한다고. 완전히 같은 얘기는 아니지만, 그것과 감히 엮어서 말한다면, 자기가 가진 장점을 가지지 못한 사람 역시, 미워할 수 있다. 사람들은 제각각 다른 사고방식을 가지고 있다. 다들 자기 자신이 이성적이라고 떠들지만, 각자 자기의 처지와 경험을 가지고 사고하고 판단을 내리고 행동한다.

연애 초 세심하고 꼼꼼한 관심을 쏟아 주었기에 좋았던 그가 어떤 시점이나 사건을 계기로는 '의처증이 있다'고 생각하게 된다면 싫어질 수도 있다. 어제의 장점이 오늘의 단점이 된다. 어쩌면 '그'는 변하지 않았을 것이다. 지극히 주관적인, 타인의 해석으로 '그'는 하루아침에 전혀 다른 사람으로 인식되는 것일 뿐.

누구나 자기 생각이 '근거' 있는 것이기를 바란다. 그러나 사실 오랜 시간 공을 들인 이성적인 판단을 제외하고는 어느 것이든 확실하고 정확한 근거가 있는 생각이기는 어렵다. 또, 같은 생각이라 하더라도 개인마다 그 근거가 다를 수 있다.

자기 자신을 정당화하기 위해서 스스로 만들어내는 근거는 모르핀 같은 것이라는 생각이 든다. 처음부터 원하지는 않았으나 나중에는 결코 본인의 의지만으로 멈출 수 없게 되니까.

4-4
두려움에 대한 두려움 물리치기

두려움은 누구나 겪었을 감정이다. 어떤 부정적인 경험을 통해 자리 잡았을 수도 있고, 막연한 존재에 대한 부족한 이해에서 오는 것일 수도 있다. 어떤 대상이나 상황에 대한 두려움.

가령, 나는 최근의 사고에서 조수석에 갇혔던 것으로 인해 차에 타는 것은 물론이거니와 조수석에 탈 때는 더욱 답답함을 느끼게 되었다. 그리고 그전으로 거슬러 올라가 내가 피를 두려워하는 까닭은, 어렸을 때 폐렴에 걸려 피를 토했던 기억이 어렴풋이 자리 잡고 있기 때문이다- 그래서 더 공황 상태일 수밖에는 없었을 것이다.

호그와트의 벽장 속에는, 언젠가 루핀 교수가 풀어놓은 보가트가 살고 있다. 그리고 내 마음속에도 수도 없이 많은 보가트가 숨어 들어와 살고 있다. 어쩌면 당신의 마음속에도, 아니 이미 우리 안에는… 불안과 두려움은 부정적인 감정임은 틀림없지만, 그렇다고 잘못된 것은 절대로 아니다. 문제는 두려움을 그리고 불안을, 그 자체로 두려워해서 피해 버릴 때다.

보통의 용감함을 가지고 있는 당신이라면 보가트를 물리치는 방법을 알고 있을 것이다. 아무리 많은 상황과 존재에 대해 두려움을 가지고 있을지라도, 그것을 다르게 생각하고 덤덤히 받아들이는 것으로 충분하다. 거대한 늑대로 변한 보가트 앞에서, 쫄지 않고 이빨이 우수수 빠져버린 늑대를 상상할 수만 있다면, 웃음 한방으로 거대한 녀석을 쓰러트릴 수 있지 않은가. 마음속의 근심과 두려움, 그것들이 가장 두려워하는 것이 바로 당신의 웃음이다. 당신의 마음속에 얼마나 많은 자물쇠가 있는지는 중요치 않다. 알맞은 열쇠가 충분히 있기만 하다면.

4-5
제 8사춘기
〈☞Derniere Danse - Indila〉

등가교환의 법칙, 요즘 들어서 뼈저리게 와 닿는 것. 배가 고프면 음식을 먹는다. 음식은 사라지지만, 배고픔은 충족된다. 하나를 얻으면, 하나를 잃는다. 하나를 더하고 하나를 뺀다. '사랑도 얻고, 우정도 지키고, 내 할 일도 열심히 한다'라는 것은, 말처럼 쉽지도 않고 아무나 할 수 있는 일도 아니다. 아무도 할 수 없는 일이라고 한다면 모를까. 하다못해 영웅도 자신의 사명감을 위해 사랑하는 여자는 포기하지 않는가.

완벽이라는 것은 애초에 불가능하다. 차라리 그렇게 단정 지어 버리는 것이 어설픈 완벽을 추구하다 만신창이가 되는 것보다는 낫다. 그렇다면 내가 지금 순간 얻고 있는 것은 무엇이고, 잃고 있는 것은 무엇일까. 무엇인가를 손에 쥐기 위해 노력하는 동안에 구멍 난 내 주머니 밑으로 떨어지는 것은 무엇일까.
결국에 내가 가지게 되는 것의 수를 따지자면 그대로라도, 제8의 사춘기쯤 와 있을 나는 불안해진다. 내가 알지 못하는 동안에 내가 잃고 있는 것이 있다는 사실 만으로도 충분히. 일을 앞세워, 공부를 앞세워 내가 해야 할 일을 내던지지는 않았는지. 혹시나 돈 몇 푼에 소중한 친구를 나쁘게 생각하지는 않았었는지. 나를 위해 의리 없이 이기적인 행동을 하지는 않았었는지.

정말 소중한 것을 담기 전에 내 마음이라는 자루의 구석에 어디 하나 흠집 난데는 없는지, 나도 모르게 뻥 뚫려있는 데는 없는 지 꼼꼼히 하나하나 살펴봐야겠다. 그리고 내가 놓치고 싶지 않은, 힘들게 얻은 소중한 사람이 좁은 내 마음의 크기 때문에 행여 넘쳐서 흘러가 버리지 않도록 노력해야겠다. 꽉, 잡아야겠다.

4-9
주먹을 쥐고

내가 어떤 의미도 찾을 수 없는 일들에 대해서 생각하는 일을 접어두기로 했다. 그 이상의 시간과 노력을 쏟는 데 큰 회의감을 느꼈기 때문이다. 내가 고민한다고 바뀌지 않을 일에 대해서 생각하거나 고민할 필요가 없다는 것은 이 얼마나 머릿속의 저장 공간을 비워주는 일인가.

지금 당장 손에 쥐어진 일만으로도 나는 충분히 살아있음을 느끼기에 충분한 성취감을 느끼고 있다. 나는 조금 더 쉽게 가기로 했다. 아니, 이전보다는 더 많이 웃을 길을 골랐노라 말하고 싶다. 이미 손가락 사이로 빠져나간 모래알을 아쉬워하며 마지막 남은 한 알을 꼭 잡고 있는 손으로는 무엇도 할 수 없기 때문이다.

새로운 일을 시작하려면 새로운 출발점으로 가서 출발 신호를 기다리는 것이 아니라, 그저 그 자리에서 손을 훌훌 털어내 버리고 다시 거기서부터 달리면 되는 것이다.

내가 외치는 구령에 맞추어 준비, 땅!

4-7
자기 반성

이방인이 된 것 같다. 있어야 할 자리에 있지 못하고 빵 가게 선반에 놓인 생선이 된 마냥 어울리지 않는 느낌. 사이즈가 맞지 않은 옷을 어거지를 써서 입은 느낌. 그래서 심지어 지퍼가 다 올라가지도 않은.

그래서인지 요즘 들어 영양가 없는 생각과 행동을 많이 한다. 예를 들면 내 마음에도 아무런 좋은 감정이 남아 있지 않은데도 너스레를 떨며 억지웃음을 지을 때가 종종 있다는 생각을 한다.

고백하건대 나는 착한 사람이 아니다. 그렇지만 적어도 더 나빠 질 수는 없는 사람이다. 주위를 둘러보니 내가 의무감에 하는 일들이 하고 싶어하는 일 보다는 많아져 버렸다. 어쩌면 그래서 나는 내가 원치 않는 곳에 서 있다는 느낌을 이토록 진지하게 받아들이고 생각하는 지도 모른다.

'~ 이기 때문에'라는 말로 시작과 끝을 맺는 대화가 싫다. 인정하기 싫지만, 철이 들었건 덜 들었건 나는 이제 '성인'이기 때문에 마음대로 만은 행동할 수 없다는 것. 어디로 튈지 모르는 내 맘을 잡아주는 것은 의지라는 녀석 뿐.

정말로 많은 고민을 했다. 그리고 내가 내린 결론은 다시 기도하여야 한다는 것이었다. 내가 무언 가를 잘하길 바라고 내 일이 잘되길 바라기 전에 지은 죄가 크니 뉘우침이 먼저라는 생각이 들었기 때문이다. 결승선에 이르지 않고서 다른 출발선에 설 수 없는 노릇이다.

4-8
소금 장수

우리는 모두 각자 인생의 짐을 짊어지고 살아가는 보따리 장사꾼이다. 등에 짊어진 이 무거운 보따리에 들어 있는 것이 소금인지 솜인지는 아직 모른다. 목적지에 도착해서 풀어놓기 전에는 알 수가 없다.

그러니 그 짐이 무겁다고 강바닥에 던져버리는 것은 얼마나 어리석은 짓인가. 그래, 운이 좋아 소금이라면 당장 홀가분해지겠지만 그 덕에 장사 할 밑천은 다 잃어버린 것인데.

인생은 생각보다 길고, 먼 앞날을 제대로 내다볼 수 있는 사람은 많지 않다. 살아봐야 나중 일을 알게 되는 것은 맞지만 그렇다고 내일 일어나는 모든 일이 갑자기 다짜고짜 생겨난 것은 아니다. 어제와 오늘의 연장선에 놓여 있는 것일 뿐.

눈 한 번 질끈 감는 것으로 모든 책임을 내던졌다가 짊어지게 될 죄책감의 무게는 저울로 잴 수도 없다.

4-9
행운이라는 이름의 부메랑

뜻대로, 생각대로, 마음대로 어느 것 하나 되지 않는 때가 있다. 견디고 또 버텨보다가도 운명과 삶 속에서 무릎을 꿇는 것 같은 비참한 기분이 들고는 하는 것이다. 그리고 포기한다. 될 대로 되라. 맘대로 해라.

갖기 위해서는 어쩌면, 먼저 잃어야 한다. 우리가 살면서 갖게 되는 모든 것은, 아마도 영원하지 않듯이. 그럴 때는 그저 나는 이 모든 것을 누릴만한 가치가 있다고, 그러기에 나는 충분한 사람이라고 생각하면 그만인 것이다.

때로는 작은 것도 큰 행운이 되어 돌아오고 그것이 바로 살아가는 기쁨이 되고는 한다.

4-10
타인으로 살아갈 권리
〈☞These streets - Paolo Nutini〉

사람과 사람 사이에는 특별히 자리를 만들고 갖추지 않아도 서로 암묵적으로 '기본'이라고 생각하는 것들이 있기 마련이다. 그리고 그것은 절대적이지는 않아서 사람마다 조금씩 다르고, 둘 사이의 관계에 따라서 그 기준의 잣대가 가벼워지기도 혹은 무거워지기도 한다.
  그러니 당신의 주변에 있는 무수히 많은 사람 중 그 사람이 자신의 '사람들' 을 구분하는 여러 가지의 기준 중에서 분명히 '기본'이라는 것이 하나에 꼽힐 것은 특별히 말하지 않아도 알 것이다. 오히려 그 사람이 '기본'이라고 판단한 것들을 가지지 못한 자는 애초에 관계에서 배제되어 질 것이라고 봐도 무방할 정도로.

많은 사람이 그것을 가지고 나쁜 사람과 좋은 사람을 구분하고, 내가 좋아하는 사람 혹은 싫어하는 사람으로 나누며, 도움이 되는 사람 혹은 나를 필요할 때만 찾는 사람으로 생각하기도 한다. 내가 보기엔 정말 싫고 기본도 안 되어 있는 되바라진 사람이 어떤 다른 사람에게는 정말 좋은 사람으로 평가받는 경우가 있다. 내가 좋지 않게 생각하는 부분일지라도, 다른 사람이 보기엔 적당히 좋게 생각될 수도 있는 것이므로. 다르게 해석하면 아무리 좋은 사람이라도 개개인의 기준에 다 맞출 수 없다면 모두에게 좋은 사람이 되기는 그가 누구든 힘들다는 얘기가 된다.

모두의 가장 친한 친구가 될 수는 없다. 또한, 모든 사람에게서 사랑받을 수는 없다. 그것을 얼마나 빨리 인정하고 수긍할 수 있느냐가 당신을 더 성숙하게 할 것은 틀림없는 사실이다.

4-11
위로와 조언

위로- 나로부터

인정하기 싫지만 그래도 아버지 말씀이 맞다. 나는 아직 철이 없고, 어리다. 생각이 짧으며, 제대로 사람 속을 가늠하려면 한참 멀었다. 꽁꽁 얼어버린 세상의 한파에 맞서 싸우자니 한없이 힘들겠지만. 어쩌랴, 눈물이 나도 일어서지 않으면 앞으로 내디딜 수 없는 것을.
내 나이치고 철들었단 생각으로, 그것도 아니면 나나 되니까 이 만큼이라도 해내지 않겠느냔 식으로라도, 혼자 위안 삼지 않으면 버티기는 더욱 힘들 것이다. 요즘 따라 빛을 못 쬐니 성격이 배배 꼬여가는 건지 헛생각이 나를 자꾸 옭아매는 것 같다.

배알이 꼽고 아니꼽다고 있는 그대로 내 속을 훤히 내비칠 필요는 없는 거다. 솔직하고 가식 없는, 그런 건 사적인 인간관계에서나 통하는 거다. 숨어서 운다고 누가 알아주지 않는다. 내 속은 내가 스스로 다스리고, 추슬러야 한다. 아직 다 배우지 못해서 서툴 뿐이다. '틀린' 것이 아니다.

조언- 나로부터

길을 잃어도 좋다. 다른 사람들이 지름길을 가든 낙하산을 타고 내려오든 신경 쓰지 말고 네 갈 길로 돌아서 가라. 길을 안내하는 이정표를 전부는 믿지 마라. 그것들이 모두 네가 가야 할 길을 제대로 가게 해준다는 법은 없다.

너를 믿어라. 틀린다 하더라도 너를 믿고 한 선택에는 깨끗이 너의 잘못을 인정하지 않을 수 없으리니. 달리 말하면 '틀렸다'하지 않아도 될 지 모른다. 나는 생각한다. 떨어지는 낙엽 하나로 웃을 수 있는 것이 십 대라면, 그 소소한 일상의 주변 거리에 고민할 수 있는 것이 이십 대라고.

지금보다 사는 게 더 치열해지면, 그때는 정말로 이러한 생각도 사치가 될 때가 온다. 톱니바퀴 돌아가듯 하는 일상의 타성에 젖어 생각하는 법을 잊게 될지도 모른다. 그러니 밥 먹고, 물마시고, 많이, 아주 많이, 고민하련다.

4-12

나를 뜨겁게 안아줘

〈☞Breathe me - Sia〉

날이 새하얗게 샜다. 나의 이야기를 어떻게 적어 나갈 것인가에 대해서 고민하느라 비슷한 생각들로 날을 새운 언젠가를 떠올리려 무진장 애를 썼다. 노력에 비해 큰 소득은 없었지만.

나는 나에게 매우 대단하고 위대한 존재라서, 어느 때인가 내가 어느 누군가의 술안주를 대신할 제로 칼로리의 가십 거리라는 사실을 무심코 알게 되었을 때의 기분이란.

그래, 상관없었다. 내키지는 않았지만, 사람에게 입은 말을 하라고 있는 것이고 이 세상 모든 사람은 입을 가지고 있는 거고, 말할 권리가 있는 걸. 다만 내가 가장 속이 상했던 것은, 그 이야기들이 카더라 통신을 타고 도로 내게 전해지는 경우가 많았기 때문이다. 도대체 무엇 때문에? 그런 인신 공격적인 이야기를 듣고서 내가 어떤 반응을 보여주기를 기대하고?

나는 혼란스러웠고, 그렇게 보이지 않는 은근한 적과 싸웠다. 나는 남의 사생활에 지나치게 관심을 쏟는 이들이 싫다. 인간관계의 서랍을 차곡차곡 칸으로 나누어, 누구는 이 칸 누구는 저 칸 이런 식으로 모두를 구분하지는 않지만, 그저 가십 거리나 캐내자고 친한 척 구는 사람은 없던 정까지 만들어 떨어져 나가게 하는 신기한 재주를 부린다.

하고 싶은 말들을 많이 걸러 내고, 내가 참을 수 있는 것 이상으로 넘치도록 더 참고 보낸 올 한해의 끝에서 내 손에 쥐어진 것은 전보다 훨씬 더 많이 빠지는 머리카락들뿐이다. 안타깝게도. 내가 내 삶과 내 시간을 보내는 것, 그 안에서의 여러 가지 선택들, 그리고 그에 따른 결과. 모두 내 것이고 나의 일일 뿐인데도 왜 내가 죄인처럼 남이 눈치를 보아야 한다는 말인가. '똑같은 사람이 되기 싫어서' 가만히 있는 것이 아니었다. 그 이상으로 신경을 쓰는 것이 피곤했고, 귀찮은 일이었을 뿐이다. 시간이 지나니 내 마음속에서 내 의식의 불안을 먹고 자란 그것이 눈덩이처럼 불어나 나를 무겁게 짓누르지만 않았더라도, 나는 아마 지금보다 훨씬 더 많이 행복한 사람으로 살고 있을지도 모른다.

나는 그들을, 아니, 나를 용서하기로 했다. 여러 가지의 일들을 겪고 몸도 마음도 지쳐버린 결과 신경쇠약, 편집증적인 증상들과 조그만 것에도 과민반응을 보이게 된 결코 정상은 아닌 것 같은 정신 상태의 나를 지킨다는 것은, 또 다른 나에겐 퍽 힘든 일이었으리라.

상처받아 여기저기 시리고 아픈 내 마음에 나까지 찬물을 얹는 그 꼴이란. 가장 나를 따뜻하게 안아줄 수 있는 사람은 나였는데. 더는 버둥거리지 않으리라. 나는, 이제 내 마음의 양동이에 새 물을 담으러 간다.

4-13
삶을 사랑하며 살아간다는 것은

간절히 바라던 것들은, 꼭 어렵게 가지게 되었음에도 손에 넣고 난 뒤로는 원래부터 내 것이었던 것처럼 그렇게 잊혀 버린다. 많이 가질수록 더 바랄 것이 없을 것 같지만 실은 그 반대. 방금 물을 마신 사람이 갈증을 느낄 이유가 없지 않은가. 결국, 무언가를 갖고 싶다는 생각들의 끝에서는 노력해도 가질 수 없는 것들에 대한 욕구만 남기 마련이다.

한편 세상은 사람 하나하나에게 그리 가혹한 곳이 아니다. 다르게 말하면 당신에게 그렇게 관심이 많지 않다는 것이다. 무언가 거저 주는 법이 없듯이 당신의 것을 함부로 빼앗지도 않는다.

그러니 당신이 무언가를 잃었다면 그것은 세상이 당신을 증오해서가 아니라 당신이 그것을 쥘 힘이 없었거나, 놓아 버렸거나, 어딘가 구멍 난 주머니에 억지로 쑤셔 넣었기 때문이겠지.

자신과의 끊임없는 대화가 어째서 중요한 것인지, 어째서 내면의 목소리에 귀를 기울여야 하는가를 누구나 한 번쯤 고심해 볼 가치가 있는 듯하다. 그리고 내 안의 목소리와 바깥의 목소리가 다를 때 적어도 그것을 인지하고 있다는 것만으로도 더 나은 생각을 할 수 있게 될 것이다.

4-14
비보호

나는 지름길에 대해서 끊임없이 고민하면서도, 뻔한 이정표조차 없는 길로 빙 돌아가는 여정이 좋다. 그것이 오롯이 내 주관에서 온 선택이 아닐지라도, 어쨌든 가기로 맘먹은 것이니까. 정의에 대해서 때 아닌 고민을 하다, 나도 그렇게 생각해 버리고 만 것이다. 어떤 사명을 갖고 태어난 것이 아니라 살다 보니 각자의 소명을 갖게 되는 것이다. 나는 정말이지 아무런 이유 없이 여기에 있다.

그러니 더 나빠질 수 있다면, 반대로 더 나아질 여지도 있겠지.

4-15

청소를 하다가 말고

⟨☞Spell - Marie Digby⟩

뭉개진, 어두운 분위기가 단어 하나하나를 짓누르는 책에서는 ⟨꿈⟩
이 부정적인 이미지의 집합이자 추상인 듯하다. 대개는 주인공의 잠
재의식 속에 깔린 모습. 문득 든 생각이지만 나에게는 그것이 ⟨청
소⟩가 아닌가 싶다. 집중이 쉬이 되지 않고, 어떤 일을 때로 무엇인
가를 지워낼 때. 먼지 털듯 내 삶에서 그것들을 그렇게 미련 없이 털
어버려야 할 때. 부정적인 마음을 털어낼 때 그 여느 때 보다 긍정적
인 마음으로 청소기를 들고, 걸레를 들고, 귀에는 이어폰을 끼고 흥
얼거리며- 참 많이도 가지고 있다고 생각한다.

몇 번 입지도 않을 거면서 그저 눈에 예뻐 보여서 산 옷가지들과
다 써서 쓸모가 없어 져버린 노트나 연습장, 정체 모를 종이, ○○○
병원, 의원의 처방전과 그리고 아직 먹지 않은 약 봉지들, 수신인도
발신인도 있지만 부치지 않은 편지며, 쓰지도 않는 화장품 샘플 무더
기, 영수증 따위의 잡다한 잡동사니들이 내 지난 행적을 말해주는 것
만 같다.

그동안 오래도록 잠이 들지 못했다. 또렷한 의식으로 시간을 맞춰
서 자야지 하고 자리에 누울 때마다, 기억하고 싶지 않은, ⟨무서운⟩
날들의 기억들이 어두운 방 안에서 나를 덮쳐 오곤 했기 때문이었다.
과제를 핑계 삼고, 가끔 친구와의 늦은 약속을 다행으로 여기며 자신
을 피곤하게 만들고 최대한 파김치가 되어 내가 모르는 시간에 나도
모르게 잠들어야 했다.

늦은 저녁까지 청소를 하다 말고, 좋은 음악을 들으며, 좋았던 시

간을 떠올리다가 이런 생각이 들었다. 생각과 마음은 비워낼 수 있지만, 기억은 비울 수 없다는 것. 적어도 살아가는 동안에는. 내가 나이기를 포기하지 전까지는. 생각에서 그리고 마음에서 비워진 것들이 기억으로 남아 〈꿈〉으로 되돌아오는가 보다고, 생각했다.

4-16
떠난 버스 뒤에서 손을 흔들다

그 말은 즉, 기회는 왔을 때 잡아야지, 뒤늦게 알아채고 잡으려면 이미 네 것이 아니게 된다는 것. 오죽했으면 기회란 놈은 뒷머리가 대머리라고 할까.

그렇지만 '버스'를 제 때 타는 것만이 중요한 것은 아니다. 어디로 가는 '몇 번 버스'를 타는 지도 때에 못지않게 중요하다. 일찍 와서 기다렸다 해도 버스를 잘못 타면 아무런 소용이 없지 않은가. 정류장에 늦게 도착했다고 하더라도, 자신이 타려는 버스를 옳게 타면 그만이다.

때로 놓친 버스를 잡으려 흔든 손에 택시가 잡힐 수도 있다. 물론, 당신이 치러야 할 대가는 늘어나겠지만, 대신 그보다는 더 늦지 않을 수 있지 않은가.

4-17
털어서 먼지 안 나는 하루

괜히 아는 것이 병이 되는 것은 아니다. 생각이 많다는 것은 때론 과부하의 원인이 된다. 앉아서 생각만 하는 데 시간을 보내다 보면, 정작 움직이고 행동하고 실천할 시간이 남아 있질 않는다. 그리고 그것은 곧 지금의 나다.

좌절했다. 그리고 머리를 둔기로 얻어맞은 듯 멍했다. 어떤 생각이든 멈추지 않고 해야 할 것만 같은 충동에 사로잡혀 하루 하고도 반나절을 보냈지만, 내게 남은 것은 부정적이고 두서없는 감정과 생각이 뒤섞인 덩어리뿐.

안 좋은 일이 있을 때면 내 인생을 탈탈 털어서, 지금의 것보다 더 안 좋았을 법한 일을 찾아내려고 한다. 그리고 그것을 찾으면 비로소 안심 한다. 나도 안다. '안 좋은 일'들은 지나고 나면 아무것도 아닌 게 된다는 것. 당장 견뎌내기가 힘들 뿐이지. 그래서 과거는 위로가 된다.

오늘은 어제보다 나은 하루를 보내야겠다고 다짐하는 것들은 아무런 의미가 없음을 깨달았다. 오늘은 내일보다 못한 하루가 되어서는 안 되기 때문이다. 나는 연금술사의 말을 아직 기억한다. 내가 무언가를 간절히 원할 때, 온 우주는 그것을 돕는다는. 오늘도 더는 아무런 생각이 나지 않을 때까지 온갖 생각만 하다가 하루를 다 보냈다.

아, 내가 생각 없이 일단 무언가 시도부터 했던 것이 도대체 언제의 이야기인가.

4-18
말처럼 쉽지 않다

〈☞Fake plastic trees - Radiohead〉

강한 자에 맞서서 쟁취하는 것보다 나약한 자를 강탈하는 쪽이 쉽다. 그래서 현실은 때로 상상하는 것 이상으로 차갑고 지저분하다. 이상과 비전은 높이 있어 그것만 바라보다 가는 자칫 발밑의 현실이라는 흙탕물에 발이 빠져 버리기에 십상인 것이다.

사람이 자리를 갖는 것이 아니라 자리가 사람을 만든다. 겪어보지 않은 사람은 모른다. 주린 배를 채우는 한 공기 뜨신 밥이 얼마나 가슴이 차오르게 서러운 것인지. 내 한 몸 아프지 않고 진심으로 웃을 수 있으며 스스로 행복하다 다독이고 살기를 바라는 것이, 참으로 소박하기 그지없다 생각해왔는데.

사랑만 어려운 줄 알고 살았더니, 사는 게 얼마나 어려운지를 그새 잊었나 보다.

4-19
살아남기 위해서 나를 죽이기

조금 더 실수해도 괜찮을 거라 생각했고, 조금 더 겪어보고 경험하고 느껴봐야 하는 나이라고 생각했다. 그리고 그것은 착각. 어리다고? 그래서 봐주는 것도 있지 않으냐고? 택도 없는 소리. 남들보다 어리다는 것은, 같은 시간에 더 많은 일을 해야만 하고, 더 많은 일을 더 많은 시간 동안 해야만 하고, 그러고도 턱없이 적은 대가를 얻어갈 수 있고, 그러한 부당한 대우를 받아가면서도 아주 작은 불만조차 토로할 수 없는 위치라는 것과 같은 의미다.

애사심은커녕 내가 몸담은 곳에 스스로 침을 뱉게 되는 걸 보면 나 역시 이곳과 맞지 않는다는 것을 잘 알고 있고 하등의 소속감 또한 느끼고 있지 못하고 있음은 틀림없는 것 같다. 그들이 말하는 소위 '사회생활'이 도대체 무엇을 의미하는 것인지 모르겠다. 그러니 그까짓 거 잘하는 법에 대해서도 하나도 궁금하지 않다. 정말이지, 아무리 생각해도 어디부터 잘못된 건지조차 모르겠다. 치사해서 알고 싶지도 않다.

여태껏 배워 온 교과서는 자유와 평등을 가르친다. 그리고 끝이다. 책을 덮어 놓고 내가 나가서 만나고 겪은 세상은 불평등과 억압만 있을 뿐이었다. 격려와 칭찬, 존중과 배려. 조직의 비전. 구성원 간의 협력. 학교에서 배운 많은 경영 철학들. 일에서 얻는 자부심. 성취감. 그 수많은 것 중에 하나조차도 보고, 듣고, 만져볼 수 없었다. 스물두 살에 넘치는 패기로 전장에 나가 무참히 깨지고 도망친 패잔병 신세가 되어 버렸다.

손으로 별을 가리키고 있으면 뭘 하나, 발밑이 진창인 것을. 두 눈을 뜨고 보기조차 거북하고 역겨운, 그들만의 리그. 어떤 말로도 위로받을 수 없을 만큼 상처투성이가 돼버렸다. 이렇게 나약한 사람이 아니었는데, 밑도 끝도 없이 추락하고 있다. 희망을 품고 내일을 기대하는 것조차 참으로 서러웠다.

책 밖으로 나오니 자유도 평등도 없다. 그래서 책에서 가르치는 거야. 사회생활에서 배울 수 있는 것 중엔 그런 게 없으니. 사람은 끝내는 죽기 위해 사는 것인가.

4-20
참 씁쓸한 하루

내가 보낸 하루하루를 정리하고 기억하는 것이 중요한 것은, 그것이 날마다 내 자서전이 되어 남기 때문이다. 얼마간의 직장생활은 나역시 똑같이 때 묻고 가식적인 사람으로 만들었다.

회식 만근 도장을 찍고도 지각 한 번 안 하는 강철 체력과 상사가주는 갖은 스트레스에도 언제나 그를 향해 알랑거릴 수 있는 비위가필요하며, 수당 없는 야근에 불평하지 않고 견딜 인내심 없이는 버티기 어려운 곳이다.

나는 꿈을 꾼다는 것이 얼마나 행복한 것인지를 알았다. 깨어서 본현실이 그렇지 못했으므로. 세상은 불평 거리로 가득하고, 이제 더이상 커피 한 잔에 행복해하던 시절의 때의 나로 돌아가기가 어려워졌음을 알았다.

4-21
가는 중

그 누구의 위로도 필요로 하지 않으면, 어떤 이를 위해 맘 없는 위로를 쥐어짜 내야 할 이유도 없다. 오르니 내려갈 곳이 있는 것이요,아래에서는 올려다보고 향해갈 곳이 있으니. 스스로 가엾게 여겨지는때부터는 인생의 새 막에 긍정이란 파랑새는 더 멀리 날아가 버릴지도 모를 일이다.

쉬지 않고 깨어있는 일은 어렵다. 그리고 내가 하고 싶은 것과 해야 하는 일들의 사이에서 나를 잊지 않는 것은, 정말이지 쉽지 않다. 스물둘의 나를 지켜보면서 지금은 무엇인가 결과를 바라거나 대단한 것을 이루길 바랄 때가 아니라는 것을 깨달았다. 지금의 나는 나중의 중요한 순간을 위해 준비하고 있는 과정인 것이다. 지금은 앞으로 완성해 나갈 인생이란 큰 그림의 무수히 많은 조각을 준비하는 때임을 알았다.

지금부터는 앞만 보고 가기에도 부족하지 않은가 싶었다.

4-22
접근 금지

어떻게 살아갈 것인가에 대해서 끊임없이 고민하는 것은 좋은 일이다. 그렇지만 정작 그 '고민'을 하느라 제대로 살지 못하고 있다면 그것만큼 안타까운 일이 또 어디 있을까. 진심으로 원하는 것을 좇지 않으면, 방향을 잃는 건 순간일지 모른다. 한 살씩 먹어갈수록, 가슴 속에 담은 꿈은 북극성이고 나침반인 것 같다.

내가 정말 행복했던 순간은, 웃을 수 있었던 순간들은 모두 간절히 원하는 무언가에 정말이지 미치도록 몰두했던 때였다. 아마도 괜찮을 거야. 조금 슬퍼지기는 하겠지만, 때로는 어쩔 수 없는 일도 있다는 것을 순순히 인정할 나이가 됐거든.

인생이란 하나의 커다란 그림 같아서 몇 발자국 떨어져서 봐야지만 제 모습을 볼 수 있는가 보다. 생각의 다름을 탓할 수는 없다. 그것은 누구의 잘못도 아니니까. 그러니 때로는 변명보다는 체념이 빠를

지 모른다.

4-23
자유 낙하
〈☞Cannonball - Damien Rice〉

한없이 아래로 떨어지고 있을 그 추락하는 존재여. 떨어질 수 있음은 언젠가 날아올랐었다는 것이고, 언젠가는 다시 오를 수 있다는 음의 가능성이다. 모든 것이, 당신을 둘러싼 모든 이유가 반드시 긍정적일 까닭은 없다.

추락하는 존재는 분명 어떤 날개가 있다. 펴지 않고 이대로 떨어질 것인가 또는 다시 날아오를 것인가. 그것은 그의 선택에 달려있다.

4-24
로꾸거

나는 꿈속에서 사는 걸까, 아니면 삶 속에서 꿈을 꾸고 있는 걸까. 막연하게 잘 될 거라고 믿어 왔던, 그리고 너는 뭐가 되든 잘할 거라던 흐린 기대 속에서 나는 왜 갈 곳을 잃었을까. 왜 나란 사람의 다짐이란 이토록 유통기한이 짧은가.

답을 이미 알고 있으면서도 잘못된 답을 적어서 내는 사람은 없지만, 살아가는데 있어서는 정말로 내가 어떻게 해야 하는지 알고 있음에도 불구하고 정작 그렇게 하지 못한 경우가 있다.

그리고 그 이유에는 여러 가지가 있겠지만, 아이러니하게도, 내가 무엇을 해야 하는지를 정말로 잘 알고 있다는 것이, 가끔은 그와 반대로 살게 만드는 이유가 되고 만다.

4-25
일시 정지

사공이 많으면 배가 산으로 간다지. 생각이 많아지면 행동은 적어진다. 나는 무기력하고 세상에서 나를 빼고 나면 열심히 무언가를 하면서 바쁘게 사는 진짜 사람들이 남는다. 내가 멈춰있는 까닭은 움직여야 할 이유보다 더 많은 핑계를 가지고 있기 때문이고, 마음을 단단히 하고 살아 나가기에 용기가 부족하기 때문이다.

그럼에도 불구하고 나는 고민주의자다. 생각이 많은 사람과 생각만 하는 사람은 구분 돼야만 한다. 이 모든 것이 겁쟁이의 변명에 불과하더라도 아직 나의 시간은 끝나지 않았으니. 때때로 멈춰 있느라 누군가 나를 앞서 나간다고 해서 그것이 부끄럽지 않다. 어차피 저마다 향해 가는 곳은 다르지 않은가.

잘 알지도 못하면서.

4-26
하루는 세 바퀴
⟨☞La meme histoire - Feist⟩

수능 100일을 남겨두고 시험 준비를 시작했을 때는 하루에 네 시간을 자고 공부했고, 스무 살에 학교를 다니면서 가게를 차렸을 때는 그마저도 사치였다. 장사를 접고 학교를 휴학하고는 자는 시간도 아까워 매일매일 날을 새고 고삐 풀린 망아지처럼 놀았고, 복학하고 나서는 학교에 다니면서 부모님 장사를 돕느라 많으면 두 시간을 잔다.

첫 수업은 아홉 시에 시작하니. 늦어도 여덟 시 이십 분에는 정류장에 미리 가 있어야 버스를 제때 타고 시간에 맞게 강의실에 도착한다. 화요일과 목요일, 아침 아홉 시부터 저녁 여섯 시가 다 될 무렵까지, 밥 먹을 시간은커녕 숨 돌릴 틈도 없이 수업을 듣는다. 수요일엔 그나마 오전에만 수업이 있으니 좀 나았다.

집에 와 대충 정리를 마치고 간단하게 요기 거리로 배를 채우고 나면 금세 저녁 일곱 시가 된다. 허겁지겁 옷을 갈아입고 가게로 나가 장사를 할 채비를 한다. 주말에는 혼이 빠져나갈 정도로 바쁘다. 그 일들을 해내면서 대충 한다는 소리는 죽어도 듣기 싫어, 내가 할 수 있는 모든 것을 포기하지 않으려고 눈곱만큼의 자투리 시간조차 아끼고 아껴썼다. 토익 고득점이나 자격증 취득을 병행하는 것까지는 차마 엄두도 안 났지만, 그래도 소액이나마 장학금 받을 만큼은 했다.

지난 십 년, 하루를 몇 조각으로 쪼개서 살아서 명문대를 나온 것도 아니고 떼돈을 번 것도 아니다. 하나를 얻으려면 먼저 다른 하나를 버려야 한다는 사실을 배웠을 뿐. 모든 열매와 과실이 단맛은 아니듯이 암만 죽기 살기로 노력했다 해도 결과가 나쁠 수 있다. 지난 날 열심히 했으니 그걸로 됐다. "이 성적으로 대학을 가겠다고?"라는 말을 들어본 적도 있고, "이렇게 매출이 안 나오면 가게 접어야지."라는 말도 들어봤다.

살다 보면, 너라면 해낼 거라는 응원보다도 과연 네 주제에 할 수 있느냐는 의구심이, 이를 악물고 의지를 태우게 만드는 연료가 된다.

4-27
나의 정신과 영수증
⟨☞Hell Is Around The Corner - Tricky⟩

나는 나를 돌봐 줄 정신과 의사가 없다. '체스터'처럼, 내가 필요할 때 찾을 수 있고 나의 말을 들어줄 '전문가'는 없다. 그리고 너무나도 당연하게, 그 자리는 나의 몫인 것이다. 그래서 때로 자신을 그렇게 남 대하듯이, 남의 말을 들어주듯이, 그렇게 온전하게 타인의 시선으로 나를 바라보는 것은 너무 어렵다. 하기야 남이라고, '전문가'라고, 절대적으로 완벽하고 객관적인 것만은 아니니까. 타인도 그 자신만의 창으로 나를 볼 뿐이다.

다만 내가 알고 있으면서도 애써 무시하는, 보지 않으려고 하는 그 무엇을 나 자신보다 날카롭게 지적할 수 있을 뿐. 그래서 아무리 내가 나고, 내 생각밖에 못 하는 존재라고 하더라도, 남의 시선으로 나를 바라보려고 하는 노력을 게을리 해서는 안 된다는 거다. 차마 남이 나한테 하지 못할 소리도 자신에게는 할 수 있으니까. 물론, 좋은 의미로.

모든 것은 지나가고, 달라지고, 매 순간 새로워진다. 나도 어제의 나와는 조금은 달라졌을 거다. 어제와 완전히 같을 수는 없다. 비록 내가 알아차리지 못하더라도, 나와 나를 둘러싼 모든 것들은 시시각각으로 변하고 있다. 그러니, 자책하지 말자. 그 변화가 내가 원하던 것이 아닐지라도, 내가 받아들이고 수용하기 어렵더라도, 스스로 바꿀 수 있는 영역 너머의 것이라면 그러려니 해야 할 뿐인 것이다.

그러니 내 자신이 바꿀 수 있고 바꾸려고 하는 것에 집중하는 것이 옳다. 내 자신도 내 마음먹은 대로 되지 않을 때가 있는 것을. 조금 더 길게, 멀리, 넓게 보면 많은 것이 여유로워질 수 있지 않은가. 여유가 있으니 베풀 수 있고, 적어도 나 자신을 조금 더 다독여줄 수 있다. 지금은 무엇보다도 내가 필요하다. 아낌없이 좋은 말을 해주고, 이야기를 들어주고, 토닥여주고, 진심으로 위해줄 수 있는, 그것도 언제나 어느 때나! 나는 완벽하게 나를 위하여 존재하고 있지 않은가.

다른 사람들은 그 나름대로 내가 나 자신만으로 채울 수 없는 부분들을 채워줄 수 있다. 그렇지만, 그것 역시 영원하지 않고 항상 한계가 있기 마련이다. 그들 스스로, 여기까지라고 암묵적으로 정해 놓은 나름의 한계들이 있다. 그렇지만 나는 나 자신에게 그렇지 않다.

나와 내가 존재하는 모든 시간에서, 나는 내가 원하고 바라는 모든 것들을 아주 정확하게 알고 있으면서 또 채워줄 수 있다. 특히, 나 자신을 위한 애정에서. 타인은 모든 것을 채워줄 수 없는 존재다. 말하지 않으면 모른다. 말한다고 해도 내가 아는 것과 같을 수는 없다.

내 마음속의 소리가 말하고 있지 않은가. 내가 타인의 시선에, 타인의 마음에 의존하고 있을 때에도 분명 내게 소리쳤을 거다. 야! 여기 내가 있잖아!

4-28
그럭저럭 괜찮은 여자

건강한 아름다움을 표방하며 일주일에 세 번은 운동 하고, 한 달에 두 권 정도의 책을 읽고, 시사 뉴스에 촉각을 세우며 최근의 이슈들에 대해 뚜렷한 자기 주관을 갖는 것. 적당한 길이의 머리를 단정하게 정돈하고 옷은 항상 구겨지지 않도록 단정하게 입는 것. 과하지 않되 밋밋하지 않을 정도로 적당한 화장을 하는 것.

술자리를 진정으로 즐긴다는 의미는 취하지 않을 정도로 절제하며 마실 줄 아는 것. 누구에게나 친절하지만, 주변 남자들이 오해하지 않을 정도의 선은 지키는 것. 무엇이 되고 싶은지, 어떤 방식으로 살아갈지에 대해서 항상 생각하고, 본인이 무엇을 원하는지에 대해 분명히 알고 있는 여자.

영화 속 여주인공들은 막 잠에서 깨서 부스스한 머리를 아무렇게나 묶어도 예쁘고, 무릎이 나온 추리닝 바지를 입어도 예뻐 보인다. 그리고 그런 자연스러운 장면 하나에는 코디와 메이크업 아티스트, 스타일리스트를 비롯해 많은 스텝의 노력이 녹아 있다. 영화 같은 삶을 위해서는 영화 같은 노력이 필요하다. 적당한 노력 갖고는 적당히 괜찮은 여자가 되기 어렵다.

한 듯 안한 듯 화장을 하는 게 얼마나 까다로운지, 청바지에 흰 티셔츠가 어울리기가 얼마나 어려운지, 당신도 이미 알고 있듯이.

4-29
유리 인간
⟨☞Skyscraper – Demi Lovato⟩

나는 유리 인간이다. 내가 하는 모든 말과 행동들의 의중이 상대에게는 뻔히 들여다볼 수 있는 그런 빤한 것이 되어버렸다. 유리 인간은 유리로 만들어진 심장을 가졌다. 나 조금의 생채기에도 쉽게 깨어지고 그 틈으로 깨지고 깨져 전부 금이 간다.

그리고 그사이에도 나는 맨발로 서 있는 유리 인간이다. 내가 나를 깨뜨리고 내가 아닌 자가 나를 깨뜨린 그 모든 날이 선 감정의 유리 조각들을 맨발로 밟고 서 있다.
나는 눈물이 많고 내가 눈물이 많다는 것이 싫다.

하지만 더 큰 문제는 눈물이 한 방울도 나지 않을 때라는 걸 나는 안다. 그렇지만 이 모든 것이 나 때문이라고 한다면, 내가 이 세상에서 들을 수 있는 말 중에서 이보다 더 나를 슬프게 할 말이 대체 무엇이란 말인가.

4-30
모두가 아는 비밀

우리는 어떤 결과를 놓고 원인을 찾는다. 찾아내거나 혹은 만들어진다. 이 이야기는 비밀이니까 너만 알고 있어- 라고 시작하는 말. 입 밖으로 나오는 순간 그것은 더는 비밀이 아니다. 안됐지만, 그걸로 끝이다. 반대로, 별것 아닌 이야기도 그런 수식어로 포장해서 내놓으면 그럴싸한 비밀 이야기처럼 흥미롭게 되는 것을 보면 신기할 따름이다.

어디를 가든 그런 사람들이 있었다. 넌더리 날만큼 싫었고, 그 틈에서 그들과 서서히 동화되어가는 나 자신도 실망스러웠다. 어쩌면 나도 다를 바 없는 인간이면서 아닌 척, 고고하게 고개를 쳐든 꼬락서니가 그들에게는 더 우스웠을지도.

사회가 더러운 곳인 이유는, "사회생활은 원래 이런 거야"라고 말하는 그들 자신 때문이다. 자신 이전의 사람들에게서 '저것만은 배우지 말아야지'라고 생각했던 것들을 더 먼저 배워 버려서.

다르다고 하는 사람치고, '다른' 사람은 없다. 때로는, 어쩌면, 나 자신조차도.

4-31
해가 없는 방정식

인생에서 내가 소비할 수 있는 생각이나 감정, 노력의 양은 정해져 있는 것일까? 그럼 나는 영영 방전되어 버린 것은 아닐까? 쉬어도, 아무것도 하지 않아도, 의욕이 솟지 않는 이유는 무엇일까? - 이유가 있을까? 낯선 곳으로 혼자 떠나기를 두려워하고, 혼자서 있는 시간에 갇혀버린 나는 무엇 때문에 움츠러든 것일까?

사실 따져보면 모든 것에 이유가 있는 것은 아닌데. 생각이 많아지면 행동은 그만큼 줄어드는 법인데. 나는 너무나 잘 알고 있어서 아무것도 하지 못한 건가. 점점 바보가 되어가는 것 같다.

모든 사랑은 첫사랑이다. 다른 사람은 다른 사랑이다. 세상에는 여전히 아직 내가 만나보지 못한 사람이 더 많고, 겪어보지 않은 일이 더 많다. 그럼에도 불구하고 나는 의욕이 없다. 거기서 거기라는 생각에 갇힌 채로 있다. 대부분의 일이 귀찮고, 대부분의 생각이 귀찮고, 사람이 귀찮다. 힘이 없다. 자신이 없다. 내게 없는 것에 의미를 부여하는 무의미한 행동의 관성에 갇혀있다.

내가 가보지 않은 곳, 내가 해보지 않은 것. 아직 내가 하지 않은 노력. 내가 아직 사랑하지 않는 사람들. 모든 것이 의문일 필요는 없고, 모든 것에 답이 있는 것도 아니다.

4-32

밤을 사랑한 여자

〈☞A thousand years - Christina Perri〉

한참 술 마시고 노는 것이 좋을 때는 일주일에 나흘은 술판을 벌이곤 했다. 구시청에 줄지어 있는 술집과 클럽 모든 곳이 다 놀이터였다. 원래부터 술 한 잔 마시지 않고도 신나게 놀 수 있는 나는 보드카 한 잔에 힘이 솟아 지칠 줄도 모르고 가게가 문을 닫을 때까지 놀았다. 간판불도 술잔에 술을 따르는 이들의 젊음도 타오르는 여름의 밤은 열정적이고, 정열적이었다.

그렇게 노느라 돈이 떨어지고 나면 심심함에 못 이겨 종종 버스를 타고 종점까지 가는 여행 아닌 여행을 하기도 했다. 노선 마다 종점이 달라서, 버스 종점이 반드시 차고지가 아니라는 것을 그때 알았다. 그래서 어떤 기사 아저씨들은 논과 밭만 있는 이면 도로 한 쪽에 버스를 세워두고 담배 한 대 태울 시간 정도밖에 쉬지 못한다는 것도 알게 되었다. 버스 여행을 제대로 재밌게 하려면 정류장에서 아무숫자나 정한 뒤에 그 순번에 오는 버스가 몇 번이든 일단 타는 것이다. 그 전에 한 번도 타보지 않은 노선이 걸리면 잭팟! 동떨어진 시외곽에 있어서 시골에나 가야 볼 수 있었던 낯익은 풍경들을 볼 수 있었다. 나는 아직도 어느 겨울에 종점에 앉아 넋을 잃고 올려다봤던, 오리온자리가 선명한 밤하늘을 잊지 못한다.

해야 하는 일이 있으면 미루지 않는 편이라 꼭 그날 끝내려고 애를 쓰다보면 종종 밤을 꼬박 샌다. 그럴 때 24시간 문을 여는 까페는 간단한 작업을 하기에도, 지친 몸을 흔들어 깨워 줄 카페인을 충전하기에도 제격이다. 새벽에 마시는 커피 한 잔은 마음까지 데워준다.

구도심과 가까운 썰렁한 주택가의 밤은 조용하고 적막하다. 때로 내 방 창문에서 밖을 보면 가로등이나 졸지 않고 서서 길을 밝힐 뿐이다. 이 집, 이 방에서 20년 가까이 살았으니 내 머릿속의 도시의 밤은 이렇게 조용하고, 은밀하다. 주전자에 물을 데워 커피 한 잔을 만들고, 펜을 든다. 엄습하는 외로움을 쫓으며 마음대로 끄적거린다. 나에 대한 상념과 너에 대한 그리움이 연필심보다 짙어, 결국엔 묻어 번지고 만다.

누군가를 사랑한다는 것은, 그 사람이 나를 사랑하는 방식을 존중한다는 말이다. 나를 알아갈수록 또 너를 사랑할수록 어려지고 여려지는 것은 왜일까. 오후 두 시엔 쾌활하고 즐거웠던 내가, 왜 새벽두 시엔 이토록 외로움에 사무쳐 무릎에 얼굴을 파묻는 것인가. 그럼에도 불구하고- 나는 왜, 기를 쓰고 이 밤을 버티려고 하는가.

무엇이 그리워서 또 무엇이 아쉬워서 그렇게, 이 밤을 차마 보내지 못하는가.

작가의 말
나와 당신의 시간

마음을 썼다.
사랑은 쓰다.
그래서 나는,
오늘도 쓴다.

잠이 오지 않는 밤에는 글을 썼고,
때론 글을 쓰느라고 밤을 꼬박 새웠습니다.
그러느라고 아마 수백 잔의 커피를 마셨을 겁니다.
이렇게 꼬박 7년이라는 시간이 걸렸습니다.

지극히 평범하고 개인적인 이야기들을
당신과 나눌 수 있게 되어서
가슴 벅차게 행복합니다.

그러니 당신도 누군가와 나누고 싶은 이야기가 있다면
주저하지 말고 써 주세요.

당신의 모든 고민을 들려주세요.

2015.02.22
작업실에서